Bernard Aimé Poulin

un portrait - a portrait

Bernard Aimé Poulin

un portrait – a portrait

Benoît Cazabon

Catalogage avant publication de Bibliothèque et Archives nationales du Québec et Bibliothèque et Archives Canada

Titre : Bernard Aimé Poulin, un portrait : essai biographique / Benoît Cazabon, auteur ; très honorable Jean Chrétien, préfacier.
Noms : Cazabon, Benoît, auteur. | Chrétien, Jean, 1934- préfacier. | Cazabon, Benoît. Bernard Aimé Poulin, un portrait. | Cazabon, Benoît. Bernard Aimé Poulin, un portrait. Anglais.
Collection : Passion et défi.
Description : Mention de collection: Passion et défi | Texte en français et en anglais.
Identifiants : Canadiana 20190021322F | ISBN 9782897263881
Vedettes-matière : RVM : Poulin, Bernard, 1945- | RVM : Peintres—Ontario—Biographies. | RVM : Portraitistes—Ontario—Biographies.
Classification : LCC ND249.P676 C39 2019 | CDD 759.11—dc23

Bibliothèque et Archives nationales du Québec and Library and Archives Canada cataloguing in publication

Title: Bernard Aimé Poulin, un portrait : essai biographique / Benoît Cazabon, auteur ; très honorable Jean Chrétien, préfacier.
Names: Cazabon, Benoît, author. | Chrétien, Jean, 1934- writer of preface. | Cazabon, Benoît. Bernard Aimé Poulin, un portrait. | Cazabon, Benoît. Bernard Aimé Poulin, un portrait. English.
Description: Series statement: Passion et défi | Text in French and English.
Identifiers: Canadiana 20190021322E | ISBN 9782897263881
Subjects: LCSH: Poulin, Bernard, 1945- | LCSH: Painters—Ontario—Biography. | LCSH: Portrait painters—Ontario—Biography.
Classification: LCC ND249.P676 C39 2019 | DDC 759.11—dc23

Marcel Broquet Éditeur
3-49, rue de Chantilly, Candiac (Québec) Canada J5R 6R3
Téléphone : 450 695-1502
marcel@marcelbroquet.com
www.marcelbroquet.com

Mise en pages : Alejandro Natan
Révision : Lorraine Longtin

Distribution :
Messageries ADP* 2315, rue de la Province, Longueuil (Québec), Canada J4G 1G4
Tél. : 450 640-1237 - Téléc. : 450 674-6237
www.messageries-adp.com
* filiale du Groupe Sogides inc.
  filiale du Groupe Livre Québecor Média inc.

Distribution pour la France et le Benelux :
DNM Distribution du Nouveau Monde
30, rue Gay-Lussac, 75005 Paris
Tél. : 01 42 54 50 24 Téléc.: 01 43 54 39 15
Librairie du Québec
30, rue Gay-Lussac, 75005 Paris
Tél. : 01 43 54 49 02
www.librairieduquebec.fr

Pour tous les autres pays :
Marcel Broquet Éditeur
3-49, rue de Chantilly, Candiac,
(Québec) Canada J5R 6R3
Téléphone : 450 695-1502
marcel@marcelbroquet.com
www.marcelbroquet.com

Dépôt légal : 3e trimestre 2019
Bibliothèque et Archives du Québec
Bibliothèque et Archives Canada
Bibliothèque nationale de France

Table des matières

Table of contents

Notes sur l'auteur

Benoît Cazabon, Ph. D. (linguistique, Sherbrooke), M.A. (linguistique et sémiologie, Aix-en-Provence), L. ès L. (linguistique), L. ès L. (littérature, Aix-en-Provence), B.A. (littérature, Université Laurentienne)

Professeur dans les universités de 1973 à 2009. Directeur du Département de français de l'Université Laurentienne (1983–1985), cofondateur de l'Institut franco-ontarien en 1976 et son directeur cinq années, fondateur et directeur du Centre des langues officielles à l'Université Laurentienne, fondateur et directeur du Centre de recherche en éducation du Nouvel-Ontario de l'Institut des études pédagogiques de l'Ontario (1989–1990). En 1987, il fonde l'ACREF (l'Alliance canadienne des responsables et des enseignants et enseignantes en français) qu'il dirige jusqu'en 2002.

Ses domaines d'intérêt : la sémiologie et l'herméneutique, les représentations symboliques, les concepts d'identité et d'appartenance, la pensée rationnelle et les idéologies. En 1994 et en 1995, il publie avec ses étudiants en didactique du français, *Polymorphes et Longue distance*, un recueil de nouvelles et un roman écrit à la chaîne. Il compte plus de 25 publications autonomes et une centaine d'articles critériés.

Il est diplômé en coaching intégral auprès de l'école New Ventures West de la Californie.

About the author

Benoît Cazabon, PhD (Linguistics, Sherbrooke), MA (Linguistics and Semiology, Aix-en-Provence), LèsL (Linguistics), LèsL (Literature, Aix-en-Provence), BA (Literature, Laurentian).

Cazabon was a university professor from 1973 to 2009: he was director of the Department of French Studies at Laurentian University (1983–1985), co-founder in 1976 and director for five years of the Institut franco-ontarien, founder and director of the Centre des langues officielles at Laurentian University, and founding director of the Centre de recherche en éducation du Nouvel-Ontario at the Ontario Institute For Studies in Education (OISE) from 1989 to 1990. In 1987, he founded the Alliance canadienne des responsables et des enseignants et enseignantes en français (ACREF), of which he was director until 2002.

His areas of interest include semiology and hermeneutics, symbolic representation, identity and belonging, rational thought, and ideology. In 1994 and in 1995, with his students in French didactics, he published the collection of short stories *Polymorphes* and the relay-written novel *Longue distance*. He has written over twenty-five books and published a hundred refereed articles.

Benoît also has a diploma in integral coaching from the New Ventures West School of California.

Du même auteur :

2016, *Tout dépend de vous!*, roman, Paris et Montréal, Société des écrivains, 238 p.
2012, *Mattawa, à contre-courant*, roman, Sudbury, Prise de parole, 205 p.
2007, *Langue et culture. Unité et discordance*, Sudbury, Prise de parole, coll. Agora, 294 p.
2005, *Pour un enseignement réussi du français langue maternelle : fondements et pratiques en didactique du français*, Sudbury, Prise de parole, coll. Agora, 204 p.

By the same author:

2016, *Tout dépend de vous!* (novel), Paris / Montréal: Société des écrivains.
2012, *Mattawa, à contre-courant* (novel), Sudbury, ON: Prise de parole.
2007, *Langue et culture. Unité et discordance*, Sudbury, ON: Agora – Prise de parole.
2005, *Pour un enseignement réussi du français langue maternelle : Fondements et pratiques en didactique du français*, Sudbury, ON: Agora – Prise de parole.

Préface

J'aime l'artiste Bernard Poulin. Il n'est pas seulement un portraitiste d'envergure, mais un grand artiste. C'est avec émerveillement que j'ai feuilleté cet exemplaire du portrait de Bernard Poulin. J'ai toujours eu une grande admiration pour son œuvre qu'il mène avec la même constance et habileté depuis tant d'années. Imaginez un peu 3 000 tableaux du même artiste autour de vous!

La peinture, c'est comme la politique. Il faut travailler fort et avec constance pour réussir. Je suis fier qu'un Canadien français réussisse à gagner sa vie en tant qu'artiste à l'étranger. C'est rare.

Le premier tableau que j'ai acheté de lui est accroché dans notre cuisine, à Aline et moi, au lac des Piles. C'est un dessin d'une tomate dans l'évolution de sa maturation. Du vert allant au rouge, progressivement. Chaque fois que je regarde ce tableau, j'ai le parfum d'une belle tomate fraîche devant moi et j'ai le goût d'en déguster une. C'est formidable la peinture : elle vous met en contact avec la nature, la vie.

Ce livre exploite des exemples qui rendent bien l'hommage qui revient à ce peintre de grand talent. Nous comptons plusieurs artistes de qualité sur la scène canadienne. Au surplus, Poulin se situe parmi les exceptions quand on considère l'aspect portraitiste. Je suis heureux de voir que l'auteur a choisi cet angle pour nous présenter un échantillon de sa

Preface

I like the artist Bernard Aimé Poulin. Not only is he a successful portraitist, he is also a great artist. I read this portrait of Bernard Poulin with awe. I have always admired his work, which he has been pursuing with the same steadfastness and skill for so many years. Imagine having three thousand paintings by the same artist around you!

Painting is like politics. You have to work hard and consistently to succeed. I am proud that a French Canadian has been able to make a living as a professional artist, both in Canada and abroad – a rare thing indeed.

Aline and I still have the first painting I bought from Poulin hanging in our kitchen at Lac des Piles. It is a drawing of a tomato as it grows and ripens. From green to red, gradually. Every time I look at this painting, I can almost smell a beautiful, fresh tomato in front of me, and I just want to eat one! Painting is wonderful: it puts you in touch with nature, with life.

This book contains selections that pay a proper tribute to a highly talented painter. We have several artists of great quality on the Canadian scene. And Poulin is exceptional among portrait painters. I am happy to see that the author chose portraiture to introduce readers to a sample of Poulin's work. This book is a portrait of a portraitist. The author's choice is promising.

What strikes me is that portraits convey an emotion rather than a truth. Likeness rather than resemblance.

production. En fait, le portrait d'un portraitiste. Il y a comme une promesse dans ce choix.

Je retiens que le portrait transmet une émotion plutôt qu'une vérité. La vraisemblance plutôt que la ressemblance. J'aime cette idée parce qu'elle laisse une interrogation dans mon esprit. Comme le dit si bien l'auteur, quand on contemple une toile, cela soulève une inquiétude devant quelque chose d'inachevé. Je pense que l'art nous interpelle dans le meilleur de nous.

J'hésite à commenter son œuvre ou les pièces retenues dans ce livre. Il y a cette expression : « La culture, c'est comme la confiture. Moins tu en as, plus tu l'étends. » Il n'y a pas loin entre « étendre » et « étaler ». J'aime mieux dire ce que j'apprécie. C'est certain que Bernard Poulin, dans un style de type figuratif, possède une large palette. On peut y déceler des teintes impressionnistes tout autant que des moments expressionnistes. Il est préférable de dire qu'il y a le style Poulin, indépendamment des écoles.

Pour ma part, j'ai pris grand plaisir à examiner les scènes que Bernard Poulin peint. Il saisit un ton qui nous émeut. Que ce soit les scènes d'hiver, des enfants dans leurs jeux, leurs souffrances, des scènes mondialement reconnues aussi, toujours on reconnaît sa signature dans le jeu des ombres, le point de vue choisi, la suggestion dans les formes.

Je tiens à féliciter l'auteur, Benoît Cazabon, et l'artiste, Bernard Aimé Poulin, pour avoir réuni leurs talents dans cette réalisation de qualité. Je vous souhaite une large diffusion pour que les Canadiens et tous ceux et celles qui aiment la peinture puissent se nourrir à la lecture de ce beau livre.

Jean Chrétien

I like this idea because it leaves a question mark in my mind. As the author says so well, when we look at a painting, it creates a sense of unease about something that remains unfulfilled. I think that art brings out the best in us.

I am reluctant to comment on Poulin's work or on the paintings selected for this book. There is an expression – "Culture is like jam. The less you have the more you spread it." There's a fine line between spreading and flaunting. I would rather say that I appreciate. Bernard Poulin's figurative palette is unquestionably broad, with Impressionist tones as well as expressionistic moments. It is better to say that there is a Poulin style, independent of any school.

I had a great deal of pleasure looking at the scenes painted by Bernard Poulin. He finds a mood that touches us. Whether they are winter scenes, moments capturing the playfulness of children or their sorrows, or international scenes, there is always his signature use of shadows, his point of view, the suggestion in the forms.

I want to congratulate the author, Benoît Cazabon, and the artist, Bernard Aimé Poulin, for combining their talents in this quality production. I hope it is widely distributed so that Canadians and all those who love painting can enjoy reading this beautiful book.

Jean Chrétien

Avant-propos

Il importe de nous situer. Si nous commencions par le titre ? Vous allez lire un « portrait ». Vous en avez lu plusieurs ? Cela étonnerait. Je m'adresse directement à vous qui allez lire ce texte parce que vos doutes ont été les miens. Par petites touches superposées, apprivoisons ensemble le portrait.

Qu'est-ce qu'un portrait écrit ? Le portrait est un genre littéraire qui emprunte ses qualités au portrait pictural. Ce livre porte sur Bernard Aimé Poulin, portraitiste; entre autres genres de peinture qu'il privilégie. Donc, le portrait d'un portraitiste. L'idée au départ m'a interpellé. En quelque sorte, écrire pour faire voir !

Pour mieux se situer sur le portrait écrit

Le genre remonte aussi loin qu'à l'Antiquité. Dans ce temps-là, il visait à représenter la réalité, soit peinte, soit vue. Il s'agissait d'une narration, un peu comme le reportage télévisuel d'aujourd'hui. Encore mieux, la partie de hockey racontée à la radio, à l'époque au Canada français, par René Lecavalier ! L'allusion n'est pas gratuite; on le verra en détail en parcourant ce livre. Dans le portrait, il s'agit autant de l'émotion transmise que de la vérité vue par l'observateur.

Je me ferai observateur davantage qu'analyste. Vous ne lirez pas non plus une biographie qui décrit tous les moments d'une vie avec preuves ou

Foreword

It's important to put things in perspective. Let's start with the title: you're about to read a portrait. How often do we process visual representations by reading? The questions the reader raises were likely mine as well. With a light hand, together we will carve away the layers to find out what makes a portrait.

As a literary category, a written portrait borrows its characteristics from its pictorial equivalent. This book is about Bernard Aimé Poulin, painter of portraits, among a number of other genres.

Here, then, is a portrait of a portraitist. The idea appealed to me from the outset – writing in such a way as to allow us to see.

The art of the written portrait

Portraiture dates back to antiquity, when written sketches strove to represent reality, whether as observed or as painted. In essence, a written portrait is a narrative, not unlike a contemporary television show or, perhaps more accurately, the colour commentary of a hockey game brought to life by someone like René Lecavalier, who regaled radio audiences with play-by-play that let them almost see the game. This reference is far from gratuitous, as will become obvious. Creating a written portrait is as much a matter of conveying emotion as it is of rendering the truthful account of a faithful observer.

exemples à l'appui. Le portrait tente de saisir des émotions. Celles que nous font vivre les peintures de Bernard Aimé Poulin. En ce sens, ce livre se concentre sur le peintre. Son vécu, bien sûr, n'est pas accessoire. La vie et l'œuvre se mêlent. L'une se comprend par l'autre. Nous privilégierons l'observation de l'œuvre pour comprendre (un peu mieux), connaître davantage et aimer la personne entière.

My role here is to observe, not to analyze. Nor is this book a biography, describing each moment of a life lived, borne out by evidence and examples. The written portrait strives to capture emotions – those elicited by the paintings of Bernard Aimé Poulin. And so this book will focus on the painter. Of course, the artist's experience is not incidental: life and art are intertwined, and we understand one by knowing the other. This book foregrounds the observation of the art to understand the whole person of the artist a little better, to know him, and to appreciate him.

L'histoire du portrait en deux coups de pinceau

A brief history of the portrait

Parmi les plus grands, on peut penser aux *Essais* de Montaigne (autoportrait). *Les Confessions* de Jean-Jacques Rousseau relèvent aussi du portrait. Il le mentionne au départ de ce texte : « Je forme une entreprise qui n'eut jamais d'exemple, et dont l'exécution n'aura point d'imitateur. Je veux montrer à mes semblables un homme dans toute la vérité de la nature; et cet homme, ce sera moi. » On retrouve derrière ces mots le souci de l'authenticité. Cette exigence va retenir notre attention.

Il y a d'autres formes de portraits écrits. Les *Maximes et Réflexions sur la Comédie,* de Bossuet, les *Réflexions ou sentences et maximes morales* de La Rochefoucauld. Plus juste encore, *Les Caractères* de La Bruyère. Ces écrits en sont tous jusqu'à un certain point. Quel intérêt de les relever? Ils ont en commun d'être de courts énoncés comme leurs titres le suggèrent. Nous tenterons d'en faire autant! Aussi, ils rejoignent la qualité que nous rechercherons : le point de vue. Encore ici, l'observation. Le portraitiste est un observateur intransigeant. C'est le moteur de son travail. Des heures et des heures à observer. Ce sera le défi de notre écriture : observer cet observateur à l'œil de lynx.

Il est bon de voir une œuvre par son contraire. Il existe une catégorie de portraits écrits caricaturaux.

Among the greats, Montaigne's *Essays* (a self-portrait) comes to mind. Jean-Jacques Rousseau's *Confessions* is also rooted in portrait writing. Rousseau elaborates on this notion at the very beginning of his text: "That which I am undertaking has never been done before, and in its execution no likeness can be found. I wish to show my fellow-mortals a man in all the truth of nature itself, and this man, shall be myself!" Behind these words lies a concern for authenticity, a characteristic that will remain central as we read this portrait of Bernard Poulin.

There are also other types of written portraits. Bossuet's *Maxims and reflections upon plays, de la* Rochefoucauld's *Reflections; or Sentences and Moral Maxims,* and, even more so, *The Characters* by La Bruyère. These writings are all portraits to a certain degree. I mention them here because they have one thing in common: as their titles suggest, they are all brief statements. My attempt here is similar.

These books also have another quality I'm looking for: point of view. In this instance, the power of observation. The portraitist is a relentless observer; observation drives his work. Hours and hours are spent looking, discovering, seeing. My first challenge in writing this book is the same: observing this hawk-eyed observer.

Molière maîtrisa cet art. Nos journaux les utilisent pour notre plus grand profit. Ceux-ci joignent le dessin à un message écrit (Bado, Garnotte, Chapleau), entre autres dans la bande dessinée. Molière n'est pas mort! Dans ce cas, les artistes utilisent autant le personnage fictif (un représentant d'une catégorie de personnes : une profession, un groupe religieux, etc.) que le personnage réaliste dont ils imitent des traits. Ils en font l'éloge ou la satire. Il y a un grossissement.

Rien de tel chez le portraitiste, Bernard Aimé Poulin. Les personnages sont décrits (reproduits) fidèlement pour qu'ils se distinguent sans pour autant que nous puissions en déduire à une reconnaissance exacte de l'individu représenté, mais plutôt à un style du portraitiste. Le portrait n'est pas une photo. Ce sera notre second défi : le ton juste. Comment « rendre l'absent présent », selon l'expression de Leon Battista Alberti (1404–1472), à partir d'un angle choisi qui se nourrira de lui-même ?

L'écrit, la musique et la peinture

Comme de longs échos qui de loin se confondent
Dans une ténébreuse et profonde unité,
Vaste comme la nuit et comme la clarté,
Les parfums, les couleurs et les sons se répondent.

Baudelaire, « Correspondances »

Là où on avait l'habitude de voir des mondes parallèles, Baudelaire, au XIXᵉ siècle, introduit l'idée de correspondances entre les genres. Aujourd'hui, on traite volontiers de caractéristiques communes aux diverses formes d'expression comme l'enchaînement, le mouvement, la partition, la thématique. Ce sont « de longs échos qui se confondent ».

Comme illustration de ce mixage des genres, pensons à *Pieds nus dans l'aube* (1946) de Félix Leclerc, récit autobiographique. On retrouve

It's useful to compare a style with its opposite. There is a category of written portraits referred to as caricature. Molière was a master of the form. Newspapers today still use caricature for our reading pleasure, combining drawings with a written message (familiar examples in French-language media include Bado, Garnotte, and Chapleau). Molière lives on. A caricaturist might use fictional characters to represent a profession, religious group, or the like, or to exaggerate the traits of real people. The subjects of caricatures are objects of praise or of satire; they become larger than life.

Bernard Aimé Poulin's portraits are another thing entirely. In Poulin's work, subjects are faithfully rendered so that they stand out less through a perfect resemblance, but rather because of the portraitist's style. A portrait is not a photo. And that is my second challenge: setting the right tone – making the absent present, as Leon Battista Alberti (1404–1472) said, from a particular angle so as to allow the artwork to take on a life of its own.

Writing, music, and painting

As long echoes from afar that fold
Into dark, deep unison
Vast as the night and as the clear of day –
So do fragrance, colour, and sound rejoin.

Baudelaire, "Correspondences"

Where we once considered worlds to be parallel rather than congruent, in the nineteenth century, Baudelaire introduced the idea of correspondence between genres. Even now, we readily identify common characteristics in various forms of expression: sequence, movement, musical score, subject – those "long echoes from afar."

The autobiographical story *Pieds nus dans l'aube* (1946) by Félix Leclerc is an example of the mix of art forms. The story included some of his songs, and the work was recreated in 2017 by the author's son,

quelques-unes de ses chansons et l'ensemble sera repris par son fils, Francis Leclerc, dans un film du même titre (2017). Chacun des genres s'inspire des autres. Ces chassés-croisés seraient trop nombreux à répertorier. Telle la vie, rien n'est linéaire ou simple. Seule une intégration des divers possibles peut rendre compte de sa complexité. Parmi ces emprunts entre genres, on connaît peut-être mieux la place de la peinture et de la musique dans l'écriture. Que serait le roman sans ces apports ?

Pour ma part, j'aime bien les peintures montrant des lecteurs et lectrices, ou une bibliothèque. Quel plaisir que celui du musicien devant le texte qu'il va interpréter de *L'Orfeo* de Monteverdi, texte composé à partir d'un livret du poète Alessandro Striggio ! La chaîne des liens est infinie. Étudier une toile, c'est imaginer un arrière-plan, des mises en scène littéraires, musicales, architecturales, cinématographiques, toutes plus enrichissantes les unes que les autres. Si une peinture tient dans un cadrage, sa thématique se nourrit d'un contexte.

Ce commentaire nous amène dans une autre dimension de notre personnage. Nous allons y revenir dans ce livre. Bernard Aimé Poulin pratique le croisement des genres et des intérêts. Il fut, entre autres, un éducateur. Tant dans son sens précis de pédagogue que dans le sens plus large de celui qui transmet. Y a-t-il une intention plus soutenue qui se dégage de son œuvre ? Assurément, le croisement des genres prolifère chez lui.

Cadrage, châssis et chevalet

Tout texte a ses limites. Une intention, un point de vue, une constance, une consistance aussi, et une finalité. Celui-ci visera essentiellement à faire aimer la peinture en montrant les œuvres de Bernard Aimé Poulin. Le livre s'adresse à ceux et celles qui s'intéressent à la peinture et aux arts visuels en général. Mais aussi, à cause du penchant

Francis Leclerc, as a film by the same title. Each genre is inspired by others, and tracking their endless interminglings would be virtually impossible. As in life, nothing, it seems, is linear or simple. Integrating the myriad possibilities begins to suggest the complexity of the undertaking. Among the various exchanges between art forms and their integrations, perhaps the most familiar are the blending of painting and music in writing. After all, what would a novel be without the visual or the aural?

Personally, I have always been partial to art whose subject matter includes either readers or library environments. Or consider the pleasure experienced by the musician who, libretto in hand, sings Monteverdi's *L'Orfeo*, the text of which was written by the poet Alessandro Striggio. The creative web is infinite. Studying a painting means imagining its context, its literary interpretations, its music, its architectural echo, its film version – stagings that are ever richer. Although a painting may be contained within a frame, the wellspring of its themes reaches from far beyond.

And so we return to the painter–subject of this portrait, albeit from another perspective. Bernard Aimé Poulin's practice is rooted in the interweaving of various forms and interests. Among other things, Poulin was an educator, both in the specific sense, as a pedagogue, and in the broader sense of one who communicates. Is there a sustained intention in his work? Perhaps; the constant is an interconnection of genres.

Frame, canvas, easel

Every text has its limits: purpose, point of view, consistency, and eventually a finality. This book's raison d'être is essentially to foster a love of painting through the work of Bernard Aimé Poulin. The reader is anyone who appreciates painting, and visual art in general. Given Poulin's pedagogical inclinations, the book also encourages young people to create, to lead a creative life.

pédagogique de Bernard Aimé Poulin, il est dédié à encourager les jeunes à réaliser une vie créatrice.

Je vais tenter de conserver dans ce livre quatre points de vue à mener de front.

1. Le questionnement. La curiosité. Qu'y a-t-il sous les apparences que je vois ?

2. La recherche. La connaissance. Y a-t-il quelque chose ici qu'il m'est donné de savoir ?

3. L'inquiétude. L'émotion. Le monde tranquille est mort. Qu'y a-t-il ici qui bouge ?

4. L'inachèvement. L'art, la vie. Quelqu'un cherche à se réaliser. Quelque chose cherche à naître. D'où provient sa motivation à mordre dans la vie ?

Je dois avouer d'emblée que ce sont les questions qui m'ont inspiré et motivé à entreprendre cette écriture. Bien sûr, il y avait au départ la grande amitié qui me lie à Bernard Aimé Poulin. Je le remercie du plus profond de mon cœur pour sa confiance en ma capacité de mener à bien ce projet. Il y a l'admiration que j'éprouve pour son œuvre. Il me fallait aussi un angle d'entrée. D'où le choix du portrait comme style d'écriture. Tout cela transporte !

That being said, I will focus throughout the book on four specific considerations:

1. Questioning and curiosity. What lies beneath the obvious?

2. Research and knowledge. Is there something here I can understand?

3. Concern and emotion. The still world is no more. What here is stirring?

4. Incompleteness, and art, and life. Someone is seeking to come into his own. Something wants to be born. Where does that appetite for life come from?

These are the questions that have inspired and moved me to write this book. From the start, there was also my close friendship with Bernard Aimé Poulin. From the bottom of my heart I thank him for his trust in my ability to see this project through.

I have a great deal of admiration for Poulin's work. But still I needed an angle, a way in to his world – whence my decision to create a written portrait. What a journey it has been.

Chapitre 1
L'enfance

Chapter 1
Childhood

Le dessinateur naît

Bernard Aimé Poulin est né au Canada, à Windsor, Ontario, le 4 janvier 1945. La Deuxième Guerre mondiale tire à sa fin. Une sœur aînée l'attendait. Il y aura six autres frères et sœurs après lui. Une famille modeste, une maison trop petite, nous avoue-ra-t-il. Pendant la guerre, le père, Joseph Aimé Poulin, avait suivi sur le tas une formation de fortune, ingénieur mécanicien des moteurs diésel. Il exerce son métier auprès de la CPR (Canadian Pacific Railways). Travail difficile, l'entretien des engins, le dépannage des locomotives bloquées en pleine tempête dans le *snow belt* du sud de l'Ontario. (Cette « ceinture de neige » fait référence à l'effet des lacs qui laisse plusieurs centimètres de neige en quelques heures quand la température de l'air est plus froide que celle des eaux.)

Pendant ce temps, sa mère, Marie-Jeanne (Lauzière) Poulin, se consacre à l'éducation des enfants. Elle est de nature créatrice. « *Les jours de pluie, nous avions droit à notre petite trousse d'images et de photos. Des colifichets personnels à manipuler. Cela tenait probablement lieu de discipline!* » L'enfant Bernard donne des signes de dessinateur avéré.

A painter is born

Bernard Aimé Poulin was born in Windsor, Ontario, Canada on January 4, 1945. World War II was coming to an end. He was preceded, and welcomed, by one older sister; six other brothers and sisters came after.

The Poulins were a modest family, their house too small, Poulin recalls. During the war, his father, Joseph Aimé Poulin, had trained as a diesel mechanic, and went to work for the Canadian Pacific. It was hard work, maintaining engines and repairing locomotives stalled in raging snowstorms across the so-called snow belt of southern Ontario (where the proximity of the Great Lakes can lead to several centimetres' accumulation in just a few hours when the air is colder than the water – known as the lake effect).

Bernard's mother Marie-Jeanne (Lauzière) Poulin devoted her life to raising her children. She was naturally creative: "*On rainy days, she would give us a little stack of images and photographs. Little trinkets to touch. It was her way of maintaining discipline in close quarters,*" Poulin remembers.

Even as a child, he showed a talent for drawing: *"By the age of five, I was frustrated with my drawings. What I put down on paper never looked like what I was looking at or had seen."*

Something stirred within the boy, something wanting to be born. The painter began to come out of his shell. Obstacles only seemed to goad Bernard, to motivate him – which more or less sums up Poulin's personality as an artist.

A photograph of the young Bernard boxing shows a glimpse of his fighting spirit. A complete individual is invariably a collection of contradictions: as soon as the subject is supposedly apprehended, it leads us elsewhere.

1. *Oiseaux, bateau, poissons*, 1949
Crayola. 20,32 x 12,70 cm

1. *Birds, Boat & Fish*, 1949
Crayola. 20.32 x 12.70 cm

2. *Bernard, boxeur*, 1945
Photo

2. *Bernard as a boxer*, 1945
Photo

« *Déjà, à cinq ans, j'étais frustré avec mes dessins. Ce que je mettais sur papier ne ressemblait jamais à ce que je voyais.* »

Quelqu'un cherche à naître, à sortir de sa coquille. L'obstacle aiguillonne sa motivation à le surpasser. À se surpasser aussi : ce constat, à lui seul, pourrait résumer le personnage.

Une photo du jeune Bernard, boxeur, annonce bien la combativité à venir du personnage! Un être complet en est un de paradoxes : dès que vous vous faites une opinion sur le sujet, il vous entraîne ailleurs.

Il y a le talent; il faut un contexte

Une personnalité se réveille par ses dessins : cette jeune conscience qui observe la distance entre son œil et ses mains. Une émotion forte se dresse sur sa route : la résistance comme formation d'un caractère. Est-ce la masse noire au centre de ce premier dessin ? Mais il y a davantage. Ce voilier et l'idée d'un ailleurs. Les oiseaux, les poissons, et le soleil. Cette nature ne cessera d'inspirer tout autant qu'interroger l'artiste en herbe.

Une photo du jeune garçon de neuf ans assis sagement à son pupitre, nœud papillon, chemise refermée à boutons à manchettes, tignasse bien peignée. Il nous observe. Il regarde la caméra le regarder.

Voyez ce regard. Vous y reconnaîtrez les quatre qualités évoquées en introduction : le questionnement, la recherche, l'inquiétude, l'inachevé. Le photographe – est-ce lui ou le personnage qui se révèle ? – a laissé l'image d'une profondeur exceptionnelle. Dans ce regard d'une seconde, saisi par la caméra, toute une vie passe devant nous. C'est ce qu'il faut respecter chez l'enfant : une nature s'éveille. Aucune vie n'est interchangeable !

Cet enfant dessine comme d'autres vont patiner. Les témoignages de cette époque précoce sont nombreux. Nous avons mentionné la façon dont la peinture se nourrit de la musique et de la littérature et vice-versa.

Shaping a raw talent

Through drawing, a personality awakens. An emerging consciousness begins to take in the connection between the eye and the hand. Defiance, a powerful emotion, was rising in him. Was it a way to build character? Is that what the dark shape at the centre of that first drawing symbolized? There was more. The sailboat, the idea of elsewhere. The birds, fish, the sun, the natural world that never ceased to inspire the budding artist.

A photo of Bernard at nine shows him sitting quietly at his desk, in a bow tie, dress shirt, and cufflinks, his hair combed back. He is watching us, watching the camera watching him.

The look in those eyes is an inkling of things to come. Poulin's young gaze already held the four considerations mentioned in the introduction: questioning, curiosity, concern, incompleteness. The photographer (is it him or is it the subject who is being revealed?) created an image of exceptional depth. In that instant captured by the camera, an entire life unfolds before our eyes. That is what must be respected in children: their awakening nature. No life is interchangeable with another.

The young boy drew the way others skated. Evidence of his precocious nature abounded. We mentioned earlier how painting feeds on music and literature, and vice versa.

3. *Bernard à neuf ans*, 1954
Photo
3. *Bernard at nine years of age*, 1954
Photo

Musique et danse sont réunies. On est ailleurs. Le tableau laisse apparaître le mouvement. Puis, il y a littéralement un cadrage, une mise en scène. L'artiste trouve son théâtre à lui. Plusieurs traits de crayon dans ce dessin d'enfant préfigurent l'artiste en marche : la tache sur le plancher, les lignes obliques de la rampe d'éclairage.

Dans l'œuvre suivante, réalisée à neuf ans, ce talent se raffine.

Ombres, perspective, plans avant/arrière et le point de vue (celui du caravanier et son chameau). L'ombre sur la face gauche de la pyramide et son reflet ne cessent d'étonner par leur qualité d'exécution. Je précise pour régler un contentieux possible ici. Il m'importe peu qu'il y ait une allusion à de l'eau dans le désert ! Mirage, sans plus ! L'auteur donne à voir : un enfant de neuf ans me montre ce dessin. Je l'écoute me le raconter. C'est tout. Cet enfant dévoile sa passion. Cette joie à dessiner surmonte tous les obstacles. Tout n'est que mirage. L'important est de le rendre vivant. Poulin dira à propos de cette époque : «*À neuf ans, on n'a pas besoin de courage pour rêver. On le fait tout naturellement. La découverte d'une passion dorénavant mène nos pensées et nos désirs. Ce qui nous est réaliste, c'est qu'on veut devenir*

Music and dance move together. We are transported, elsewhere. The painting itself seems to move. The scene is literally framed, it is staged. The artist sets up his own theatre. The pencil strokes in this child's drawing reveal the emergence of artistry: the stain on the floor, the diagonal lines of the light bar.

In the next piece, drawn when he was nine years old, Poulin's talent is already more clearly defined.

Shadow, perspective, foreground and background, focus (the resting rider and his camel). The shadow on the left side of the pyramid and its reflection are impressively executed. In anticipation of a possible argument, let me say that it matters not a whit if there is water in the desert. It's a mirage, surely. A nine-year-old is showing me his drawing, and I listen to him tell me a story. That's all. The child shows his passion for drawing – a joy that can overcome any obstacle. After all, everything is a mirage. What's important is making it come alive.

Poulin recalls of this time, "*When you're nine years old, you don't need courage to dream. It comes naturally. A passion discovered is the only guide to your thoughts and desires. What is real to you is that you want to become what you want to do. And no derogatory comment can dissuade you from accomplishing a*

4. *José Greco*, 1954
Crayola et graphite. 22,86 x 30,48 cm

4. *José Greco*, 1954
Crayola and graphite. 22.86 x 30.48 cm

5. *Pyramide*, 1955
Crayola. 21 x 21,74 cm

5. *Pyramid*, 1955
Crayola. 21 x 21,74 cm

ce qu'on veut faire. Et… il n'y a aucune parole désobligeante qui puisse nous dissuader de réaliser ce projet, cette ambition, ce rêve de devenir. » En quelques mots, Bernard réunit corps, cœur, tête ou action, émotion, pensée. Son corps demande à peindre. On verra combien, à travers sa carrière, l'action est liée à une émotion forte que la tête devra « superviser » par la suite. Une sensation s'impose; une émotion surgit; l'esprit se met en marche, en quelque sorte!

Le choc social

Devant ce talent qui s'affirme, il faut lui donner un contexte pour le réaliser. À onze ans, Bernard rencontre Kenneth Saltmarche, directeur de la Willistead Art Gallery à Windsor. Pourquoi un enfant de onze ans rencontre-t-il le directeur d'une galerie ?

« *Je venais de passer quelques heures en classe avec une enseignante. Elle ne cessait pas de corriger les "erreurs" sur ma peinture. Un esclandre s'ensuivit. Elle m'a conduit chez le directeur. J'ai expliqué à ce dernier que je suivais ces cours pour apprendre à peindre, non pour me faire corriger. Elle n'explique rien. Elle change ma peinture sans dire un mot. Le directeur a regardé longuement mes coups de pinceau maladroits, puis, il m'a dit : "Un jour, tu seras un peintre. Peut-être que la meilleure chose pour toi est de rentrer chez toi et de peindre." Il m'a fallu plusieurs années pour comprendre ce que cette classe aurait pu me montrer plus rapidement.* »

Si nous sommes devant un peintre en herbe, nous sommes tout également devant un personnage en devenir. Autonome, déterminé, quelque peu rebelle aussi. Autant nous nous sommes donnés à voir l'artiste, autant se révèle sa conception de la créativité et de l'enseignement. Cet enfant sait déjà ce qui l'inspire; ses motivations, ses muses, ce sont les lignes, les jeux de lumière et d'ombre, les couleurs et l'atmosphère. Dans son esprit, c'est

project, an ambition, the dream of what you wish to become."

In just a few words, Bernard manages to bridge body, heart, head or action, emotion, and thought. His body told him to paint. Throughout Poulin's career, action has always been profoundly connected to emotion, which the mind must then oversee. A sensation arises, a feeling, and the spirit is set in motion.

Encounter with the world

Poulin's talent began taking shape early, but it needed a context in which to flourish. At the age of eleven, Bernard met Kenneth Saltmarche, director of the Willistead Art Gallery in Windsor. Why was an eleven-year-old child meeting with a gallery director?

"*I had just spent a few hours in a classroom with a teacher. She kept correcting 'errors' in my painting. We argued, and she sent me to the see the director. I explained to him that I was taking these classes to learn how to paint, not to be corrected. The teacher wasn't explaining anything. She was changing my painting without saying a word. The director looked at my tentative brush strokes for a long time, and then he said to me, 'One day, you will be a painter. Maybe the best thing for you to do is to go home and paint.' It took me several years to understand what that class could have taught me much more quickly.*"

When we stand before a budding painter, we are also standing before a personality taking shape, one that is already autonomous, determined, and somewhat rebellious. In discovering the artist within, we also see his vision of creativity and teaching being revealed.

Even as a child, the painter already knows what inspires him; his motivation, his muse are the lines, the interplay of light and shadow, colour and ambiance. In his mind, what matters is action. Acquiring

l'action qui compte. L'assimilation des habiletés techniques se perfectionne une vie durant. C'est en faisant que l'on apprend.

Lentement, mais sûrement, entre neuf et quatorze ans, il peint. Les peintures s'accumulent derrière le divan, sous le lit, dans les placards, partout. Le père s'inquiète. Son fiston n'a qu'une obsession et ce n'est pas ce qui mettra du beurre sur les épinards! Il peint. Un jour, il lui dit: «Si tu crois que tu peux vivre de tes peintures, prouve-toi-le! Débarrasse-toi de ça!» Nous sommes ici devant une autre perspective sur l'éducation qui plaît à Bernard Aimé Poulin: le défi. Pour un père ouvrier, se donner une indépendance financière relève de la plus grande responsabilité. C'est une nécessité de base. Pour l'enfant indépendant qu'on a vu dans le bureau du directeur Saltmarche, l'autonomie est synonyme de liberté et d'indépendance. Son père pensait-il le décourager qu'il aura plutôt fouetté cette volonté du fils de fonctionner hors des structures sociales.

À l'époque, non loin de la maison familiale, sur Tecumseh Boulevard, se trouve un magasin de meubles. Bernard présente ses peintures au propriétaire qui se montre intéressé à les exposer. Sur les murs du magasin, des cadres sont accrochés. Bernard est autorisé à remplacer ces reproductions par ses peintures. Tout n'est pas si simple. Il doit expliquer au propriétaire qu'il n'a ni toile, ni matériel, ni argent pour se les procurer. Il ne peut pas peindre davantage. Le propriétaire le conduit dans un magasin de fourniture pour acheter son matériel. Il déduira ces coûts des ventes. Paysages de la mer ou de montagnes se succèdent sur les murs du Famous Furniture Store. Ainsi naît l'entrepreneur. L'apprentissage s'effectue ici aussi en faisant, comme en peinture. Si la société a ses règles, Bernard, l'enfant, va les maîtriser. Nul n'est mieux servi que par soi-même.

the technical skills will be a lifelong endeavour. We learn by doing.

Slowly but surely, between the ages of nine and fourteen, Poulin painted. Paintings started piling up behind the sofa, under the bed, in the closets, everywhere. His father was worried. His son was single-minded, and his obsession wasn't going to put food on the table. One day, Bernard's father told him, "If you think you can make a living with your paintings, prove it! Get rid of all these!" Here was another aspect of education that Bernard Aimé Poulin has always relished: a challenge. To the working-class father, financial independence was of the utmost importance; it was a basic requirement. For that willful child in the office of Director Saltmarche, autonomy was synonymous with freedom and self-reliance. And yet, if his father was trying to discourage him, he instead spurred on his son's desire to function outside social structures.

On Tecumseh Boulevard, not far from the family home, there was a furniture store. Bernard showed his paintings to the owner, who expressed an interest. There were pictures on display, reproductions. Bernard was told to hang his own paintings in their place. But it wasn't that easy: he explained to the owner that he had neither canvas nor supplies, nor any money to buy them. He couldn't just produce more paintings. So the owner took him to an art supply store, with the arrangement that he would deduct these expenses from the sale of Poulin's paintings. Famous Furniture was an early proving ground for his seascapes and mountain scenes. An entrepreneur was born. As with the art of painting, Bernard learned about the business of art by doing. Society has its rules, Bernard was learning, and, even as a child, he was determined to master them. Basically, if you want something done right, you have to do it yourself.

Chapitre 2
L'adolescence

L'enfance tire à sa fin. Prématurément? Entre neuf et quatorze ans, la vie du futur peintre se précise. Il partage ouvertement ses intentions avec ses parents. Ceux-ci s'inquiètent pour ce choix d'avenir, mais ils sont loin de le lui reprocher. Ils le voient vendre ses peintures de paysages au Famous Furniture Store.

C'est à cette époque que la famille acquiert la Richard's Topical Encyclopedia, une série de quinze volumes divisés par sujets. Le onzième volume s'intitule *Art: Painting, Sculpture, Architecture*. Bernard le consulte, à la quasi-exclusion des autres. Aux pages 50 et 51 de ce volume, Bernard Aimé Poulin, devenu adulte, a retrouvé une découpure du *Windsor Star* en guise de signet. Il est daté du 7 mars 1956. Bernard avait onze ans et il s'instruisait des images de cette encyclopédie. Son obsession se précise : les physionomies et la physiologie des corps humains de tous âges l'attirent. C'est donc adulte, en revisitant ce volume et grâce à ce signet de fortune qu'il prend conscience de la continuité dans sa détermination à peindre. Il en va souvent ainsi : l'adulte se rend compte de ce qu'il accomplissait si naturellement comme enfant. Que deviennent les enfants à qui on n'a offert aucune motivation, pire, tué celle en germe?

Chapter 2
Adolescence

*C*hildhood was coming to an end. Too soon? Between the ages of nine and fourteen, the life of the future painter became more clearly defined. He spoke openly of his ambitions with his parents, who were worried about their son's career choice but never said a discouraging word. After all, at Famous Furniture, his landscapes were selling.

It was around this time that the family acquired Richard's Topical Encyclopedia, a set of fifteen volumes divided by topic. The eleventh volume, "Art: Painting, Sculpture, Architecture," quickly became a favourite of Bernard's, who scarcely looked at the other volumes in the series. Years later, between pages fifty and fifty-one of volume eleven, he came across a yellowed corner of the *Windsor Star*. The newspaper was dated March 7, 1956. At the time, Bernard was eleven years old, and learning from the images in that book. His obsession was becoming specific: he was intrigued by facial features, and by the anatomy of human bodies of all ages. As an adult flipping through the book, he found the makeshift bookmark and became aware of the trajectory of his determination to paint. This is often the case: an adult realizes in hindsight what came naturally as a child. What happens to children who are offered no motivation, or, worse, whose motivation is destroyed before bearing fruit?

Faisons un saut en avant pour mieux saisir sa passion. À 39 ans, il rend compte de cet intérêt dans son premier autoportrait comme professionnel.

Let's jump ahead to better understand Poulin's passion. At the age of thirty-nine, Bernard Poulin recalled that childhood interest as he completed his first self-portrait as a professional.

6. *Trop jeune pour des cours d'anatomie,* 1984
Crayon de cire. 35,5 x 45,7 cm

6. *Too Young For Anatomy Classes,* 1984
Wax crayon. 35.5 x 45.7 cm

L'artiste est maintenant en pleine possession de son talent et de la technique. Ce tableau représente l'artiste à onze ans sous les couvertures, lampe de poche à la main, en train d'étudier son encyclopédie. Voyez la lumière de la lampe sur la page; celle-là est réfléchie sur les bras, le torse et la figure. L'artiste de neuf ans s'intéresse aux figures, celui de 39 ans nous montre cet enfant. Le regard du portraitiste sur le portrait.

Il y a ici une superposition en abyme. Vous savez, quand deux miroirs se font face et qu'une image se réfléchit à l'infini dans l'autre? L'inachevé chez l'artiste ressemble à ce jeu de miroirs : « *Derrière celui-ci, y a-t-il une réponse à ce mystère que je cherche à élucider?* » semble-t-il demander. La motivation

The artist was fully in command of both talent and technique. This drawing shows the artist at eleven years old, flashlight in hand, under the blankets, studying the images in his encyclopedia. Consider the light of the flashlight on the page, reflected on the arms, the torso, the face. The eleven-year-old artist was curious about faces, while the thirty-nine-year-old artist showed us that child – a portraitist's perspective of portraiture.

The gaze here is like an endless reflection, one mirror facing the other, repeating the projected self forever. Incompleteness, for the artist, is similar: *Is there behind this one an answer to the mystery I'm trying to unravel*, he seems to ask. The artist's motivation often resembles such a quest. Is the

de l'artiste ressemble à cette quête. Le portrait serait-il ce médium qui réfléchit l'interrogation de base : soit l'inquiétude humaine devant l'obstacle extérieur, soit la recherche, soit encore l'inachevé ? Quelque chose cherche à naître ici. Le lecteur voudra revoir la photo de l'enfant à neuf ans (figure 3). Même détermination, même curiosité pensive. Ce thème s'impose. L'encyclopédie, le *National Geographic*, même un petit mannequin en bois aux membres articulés, tout lui sert de modèle. Ce dernier spécimen épuisera vite les besoins de l'artiste; il le trouve trop artificiel, sans sexe, limité dans les poses à lui donner.

« Malgré ma déception concernant la qualité de mes coups de crayon et de pinceau, je m'entraînais régulièrement. Je croquais des arbres, des fleurs, des personnages, des cabanes, des autos (des autos par milliers!). Ma mère m'avait acheté un mannequin en bois. Ses jambes, ses bras et son cou se pliaient dans toutes les directions. J'en étais fier. Ce n'est que plus tard que je découvris que la seule raison pourquoi il était "mâle", c'est que j'étais trop jeune pour en avoir un avec des seins… ».

Certaines restrictions motivent davantage que de tout avoir à portée de main, semble-t-il.

Où se trouve cet adolescent en devenir ? Quelle est son inquiétude ? Il l'avait exprimée plus jeune : cette distance entre ce que son œil voit et ce que sa main peut reproduire. Comment repousser les limites ? S'ajoute une dimension plus existentielle : la découverte du corps. Au fusain, il reproduit diverses poses de corps nus. Les visages demeurent flous. Dessiner un visage demeure difficile, rendre une expression à une physionomie l'interroge. Faire ressortir les traits, le minois, la frimousse d'un visage est impossible. Où est passée cette difficulté dans l'autoportrait réalisé à 39 ans ? On peut imaginer que le jeune artiste s'est payé quelques moments d'impatience bien sentie !

portrait a way to reflect on fundamental questions – human uncertainty before the obstacle that lies ahead, or research, or, again, that notion of the incomplete? Once more, there was something trying to take shape.

Looking back at that photograph of Bernard at the age of nine (figure 3), there was the same determination, the same pensive curiosity – recurring themes. The encyclopedia, copies of *National Geographic*, even a small wooden mannequin with articulated limbs – everything served as a model to him. That latter resource, however, quickly fell short of the artist's needs; he found the figure too artificial, sexless, and limited in its possible poses.

"Although I was disappointed with the quality of my pencil and brush strokes, I practised regularly. I would draw trees, flowers, people, cabins, cars (thousands of cars!). My mother had bought me a wooden mannequin. Its legs, arms and neck could bend in every direction. I was proud of it. Only later did I discover that is it was a male model only because I was too young to have one with breasts…"

It seems that limits can sometimes be more motivating than unfettered access.

Who was that teenager in the throes of becoming? What did he think about? He had expressed it already when he was younger: the distance between what his eye could see and what his hand could reproduce. How could that limitation ever be overcome?

As well, there was now a new, more existential dimension: the discovery of the body. In charcoal, Bernard reproduced variously posed nudes. The faces remained blurred. They were still difficult to draw, and he was working out how to make an anatomical structure expressive. Rendering features, the face, seemed impossible.

It's a challenge that is barely visible in that first self-portrait at thirty-nine years of age, though we can imagine that the artist must have had a few properly impatient moments!

Le sumac vinaigrier comme refuge

« Derrière chez moi, il y avait un grand terrain vague. Il nous servait de jeu de balle molle. Puis, au fond, un boisé de vinaigriers formait le contour du terrain. C'était mon refuge. J'allais m'y allonger, quelques pages de papier en main, mes crayons. Je contemplais la lumière entre les rameaux rougeâtres de la canopée. J'aimais l'écorce claire, lisse des branches et du tronc. Vers la fin de l'été, le feuillage prenait de belles nuances de rouge, orange et jaune. Surtout, son fruit conique rouge vif, velouté au toucher, retenait mon attention. Je reproduisais une de ces branches qui ressemblaient aux éventails du palmier, un peu. Ou est-ce celles du chanvre ? »

Se ressourcer. Un autre trait de caractère se manifeste. La solitude. Bernard Aimé Poulin y fera référence souvent. J'y reviendrai dans le chapitre sur la vie adulte. L'exil du peintre.

L'exil–oasis

À la fin de son école primaire, Bernard se trouve devant la réalité. L'école secondaire de langue française n'existe pas à Windsor ni davantage une école des beaux-arts. Il faut s'expatrier. Il doit se résoudre à s'inscrire au Juniorat du Sacré-Cœur, un collège classique des Pères Oblats au 600, rue Cumberland, à Ottawa.

« L'adaptation fut facile, me dit-il. *Il y avait un "vrai" studio. Il ne fallut pas longtemps pour que j'en fasse "ma possession". Du moins dans ma tête. J'avais apporté de la maison un livre de Walter Foster :* Drawing Trees. *Tout le temps libre que me laissaient mes études, je le passais dans ce studio. Il était géré par le père Rosaire Laflamme. Un être formidable, patient, pédagogue généreux. D'une grande douceur. Il était aussi mon professeur de latin. Combien d'affiches ai-je réalisées dans ce réduit pour célébrer une fête ou tout autre événement ? »*

Sumac refuge

"Behind my house, there was a big vacant lot. We played softball there. And behind that there was a wooded area full of sumac. It was my refuge. I would go there and lie down, with a few sheets of paper and my pencils. I contemplated the light between the reddish branches of the canopy. I liked the clear, smooth bark of the branches and trunk. At the end of summer, the leaves took on beautiful shades of red, orange and yellow. Most of all, the cone-shaped, velvet-textured, bright red fruit caught my attention. I would reproduce one of these branches, which looked a bit like palm leaves. Or was that hemp?"

Renewal. Another trait showed itself. Solitude. Bernard Aimé Poulin refers to it often, as we will see again in the chapter on his adult life. The painter's exile.

An oasis in exile

As he neared the end of elementary school, Bernard faced a dilemma. There was no French-language high school in Windsor, and there was no fine-arts school either. He had to move away, to Ottawa, where he became a boarder at the Juniorat du Sacré-Cœur classical college, run by the Oblates, at 600 Cumberland Street.

Adapting was easy, he tells me. *"There was a 'real' studio. It wasn't long before I had made it my own. Or at least it became so in my mind. I had brought from home the book by Walter Foster,* Drawing Trees. *All the free time I had outside my studies was spent in that studio. It was managed by Father Rosaire Laflamme. A patient, generous educator. A very kind person. He was also my Latin professor. I don't know how many posters I made in that room to announce holiday times and a variety of other events."*

His classmates remember Father Laflamme's small group in the painting studio. Bernard seems

Ses collègues qui ont vécu cette période au collège se souviendront de la petite troupe du père Laflamme dans le studio de peinture. Bernard faisait figure à part, il me semblait. La plupart apprenaient. Lui, il exécutait. À l'observer, on aurait dit que son rapport au maître en était un d'acolyte et non de pupille. Si quelqu'un avait pu filmer cette scène, l'image de l'atelier ancien réunissant maître et apprenti en serait ressortie. Cependant, il ne faut pas penser à La Ruche, à Paris ni à tous ces artistes des XVIIIe et XIXe siècles. L'un des plus beaux témoignages montre Jan Vermeer dans *L'art de la peinture*, 1665, au Kunsthistorisches Museum de Vienne.

En un sens, au Canada des années 1960−1970, le soin réservé aux arts était plus modeste, doit-on le préciser? Ce qui comptait aux yeux de Bernard, et sa vie lui donne raison, c'est le contexte et l'atmosphère qui s'en dégageaient. Bernard était dans son élément (sans jeu de mots : la 9e année au collège s'appelait « Éléments latins »). Un contexte naturel s'offrait à lui. Le père Laflamme l'a inspiré à perfectionner davantage ses talents de peintre en l'invitant à porter attention à la maîtrise de certaines techniques. Le Juniorat aura été une forteresse protégeant ses jeunes adeptes aux talents divers, aux aspirations incertaines, au potentiel inouï. À sa façon, une ruche de l'éducation vraie.

Avant de passer à une autre étape de sa vie, il importe de le préciser, ce n'était pas le seul studio au collège. Il y avait l'atelier de photo du père Buteau; l'atelier de menuiserie du père Béliveau ; les salles de solfège et de piano du père Laperrière; l'atelier de l'édition de livres des frères Doré et Barabé. Dans une bibliothèque relativement réduite (catholicisme oblige!), on trouvait des scénarios de pièces de théâtre. Chaque mois, une séance « théâtrale » animait la soirée du samedi soir. Saynètes, extraits du théâtre classique; c'était avant le slam et les joutes d'improvisation. Ces séances devenaient un laboratoire pour les

to have stood out. Most of the others were there to learn; Bernard was there to execute. Watching him gave the impression that his relationship with his teacher was that of an assistant rather than a pupil. If someone had been able to film the scene, the image of ancient workshops, with master and apprentice, would have come to mind. (Not La Ruche in Paris, or the artists of the eighteenth and nineteenth centuries. One of the most vivid illustrations of a studio is of Jan Vermeer in *The Art of Painting*, 1665, at the Kunsthistorisches Museum in Vienna.)

In Canada, during the 1960s and 1970s, the attention paid to the arts and to formal artistic training was modest, to say the least. What mattered to Bernard, and his life has proven him right, was context and ambiance. He was in his element (no pun intended – the first year of secondary-level classical education was referred to as "Elements of Latin").

The context was natural for Bernard. Father Laflamme inspired and encouraged him to hone his talent as a painter by inviting him to focus on mastering certain techniques. The Juniorat was an academic fortress that protected its young charges, their range of talents, their uncertain aspirations, their uncanny potential. In its own way, the classical college was a hive for true learning.

It should be noted that Father Laflamme's art studio was not the only atelier at the school. There was also Father Buteau's photo studio, Father Béliveau's carpentry shop, Father Laperrière's music rooms for theory and piano, and the book-publishing studio of Brothers Doré and Barabé.

A relatively small library (as per the Catholic tradition) held copies of theatre plays, and, one Saturday evening each month, a performance was put on. They were one-act plays, excerpts from classical theatre (this was before slam and improv). These evenings not only provided laboratories for future communicators, they were also opportunities for a future painter to create backdrops and sets. These details help us understand what education was like in those days. In a way, the

futurs communicateurs, mais aussi l'occasion de préparer des toiles de fond et des décors pour un futur peintre. Rappeler ces détails permet de comprendre l'éducation du temps. En un sens, le modèle classique visait la « tête bien faite » plutôt que « la tête bien pleine ».

Le jeune lecteur se demande-t-il dans quelle école secondaire il est tombé à lire ce sommaire ? En effet, c'était la fin d'un régime : le collège classique. Il ressemblait davantage à l'école d'Albert Camus et de son professeur, Louis Germain, qu'il remercia en recevant le prix Nobel de littérature en 1957. Camus décrit sa méthode comme un exercice d'exotisme.

Aujourd'hui, équipé de tablettes et de téléphones intelligents, l'élève a accès seul à l'exotisme au bout de son clavier. Plus besoin de l'intermédiaire de l'enseignant. Mais Camus pensait d'abord à l'exotisme de la lecture, celle qui demande du silence et une attention soutenue. Il pensait aussi à l'écriture. Celle qui demande persévérance, méthode, inspiration. Donc, un exotisme intérieur que l'éducation de l'immédiat, du « remplissez-les-tirets », de la « petite poucette » du clavier électronique rend impossible. Comment laisser naître et s'épanouir des artistes et des écrivains dans ce contexte moderne ?

Le solitaire véritable

Puis la vie de Bernard prend un autre tournant. Revers financier chez les parents à Windsor. En réalité, le père est muté à Montréal. Était-ce une rétrogradation ? L'ouvrier canadien-français subissait souvent les affres de sa situation minoritaire sans recours possible. Les outrages du Règlement XVII, interdisant l'enseignement en français en Ontario (1912–1927), avaient déposé ses ravages dans le plus profond des consciences.

Chose certaine, la famille est appauvrie. Vente de la maison, emménagement dans une

goal of the classical model of education was not to fill students' heads with information, but to suggest a world full of possibilities.

Reading this, a young reader might wonder about such an exotic school environment. Alas, it was the end of an era, the end of the classical college. At its height it more closely resembled the school attended by Albert Camus, who thanked his professor Louis Germain when he received the Nobel Prize for literature in 1957, describing his master's method as an exercise in unconventionality.

With tablets and smartphones, today's students have access only to the modernity and the immediacy of the keyboard, and less to the thought possibilities beyond its app-based contingencies. There is less need, it seems, for an intermediary, a teacher. But Camus was thinking essentially of the exoticism of reading, the kind of reading that requires silence and undivided attention. He was thinking too of the written word, a kind of writing that demands perseverance, technique, inspiration – an inner exoticism, which teaching for the here and now, filling in the blanks or thumbing a touchpad, has made impossible. In this modern learning environment, how can artists and writers come into their own? How can they flourish?

Lone wolf

After two years at boarding school, Bernard's life took another turn. His family in Windsor had a change of financial fortune, and his father was eventually transferred to Montreal.

At that time, French Canadian workers often bore the abuse that was their lot as a minority and this, with no possible recourse. The contemptible Regulation 17 forbidding the teaching of French in Ontario (1912–1927) had left deep scars.

In any case, the Poulin family was now poorer. Their house was sold, and the family moved into a

vieille école comme domicile de remplacement (rue Bernard! Ça ne s'invente pas). Bernard doit quitter le collège et entreprendre sa onzième année à l'école secondaire Corpus Christi. Nouvel ajustement. Il retiendra comme modèle de ces années son professeur d'anglais, monsieur Jack Kennedy. Son goût de la littérature et de l'écrit se développe grâce à lui. L'idée claire et précise; la force d'une syntaxe maîtrisée; les mots justes qui rendent une vue du monde. Le peintre voit que le langage opère la même transformation du réel banal. Beaucoup plus tard, il écrira cette pensée: « *Ce que je ne peux pas te dire, je l'écris. Ce que je ne peux pas écrire, je le peins.* »

Pendant ses temps libres, il vend ses œuvres au Famous Furniture Store comme nous l'avons mentionné précédemment. La tension que ressent Bernard se situe dans les restrictions: avoir un espace à lui dans cette nouvelle maison exiguë. Pour s'en évader, il arpente les rues de Windsor. Il passe beaucoup d'heures à l'école à peindre des décors de théâtre (comme il l'avait fait au Juniorat).

Enfin, deux ans s'écoulent: il a lu, il a produit des tableaux qu'il vend, mais aucun maître en peinture ne l'accompagne. C'est un moment pour conforter les acquis. Le bohème se ressource dans la solitude.

« *Un jour, j'en suis à la fin de mon secondaire, mon père annonce que nous déménageons à Montréal. Je refuse de les suivre. Ils quittent sans moi. Ils ont laissé la clé de la maison à des voisins. J'ai passé la nuit seul dans cette maison vide, couché par terre, la tête sur mon sac à dos. Vous me demandez comment je me sentais cette nuit-là? En gros, impatient! Attendre que la nuit passe. Aller retirer mes fonds à la banque. Me rendre à la gare: destination Ottawa. C'était mon choix.* »

Le lecteur reconnaîtra que nous nous adressons à un être d'exception. Je l'ai mentionné auparavant: autonomie, détermination et authenticité sont des qualités primordiales pour Bernard. Le reste consiste à faire coïncider les événements pour

smaller home, an old schoolhouse – on Bernard Street, of all places. Bernard left the college and started grade eleven at Corpus Christi High School in Windsor, yet another adjustment. From those years at Corpus, the mentor Poulin remembers most is his English teacher. The young man's appreciation of literature and writing developed thanks to Jack Kennedy, from whom Bernard learned about the value of clear and precise ideas, the importance of mastering syntax, and the correct use of words to convey a view of the world. The young painter discovered that language too could be transformative, could alter a banal reality. Much later, Poulin wrote, "*What I cannot say, I write. What I cannot write, I paint.*"

As previously mentioned, Bernard had been selling his paintings at the Famous Furniture Store. If there was any tension at home, it stemmed from the tight quarters: Bernard had no room of his own in the tiny house. To escape, he took long walks up and down the streets of Windsor. The rest of his free time he spent at school, creating props and painting sets, as he had done at the Juniorat.

Two years passed: Bernard read widely, and he was producing paintings that were selling, but he still had no teacher to guide him. It was a time for the young bohemian to take stock, while finding solace in solitude.

"*One day, at the end of my last high school term, my father announced that the family was moving to Montreal. On the day of the departure, I was nowhere to be found. They left without me. The key was left with our neighbours. I spent the night in the now-empty house. How did I feel that night, lying on the floor, my head on my bag? In a word, impatient! Waiting for the night to be over. I needed to take my money out of the bank and get to the train station. Destination? Ottawa. That was my choice.*"

No doubt, the young Poulin was an exceptional individual. I've said it before: autonomy, determination and authenticity are essential for Bernard. The rest is a matter of making events line up so that these traits

qu'ils permettent à ces traits de se manifester. La meilleure façon de comprendre le personnage serait de voir son rapport à la solitude. Pour lui, elle est un lieu de ressourcement.

« *Comme artiste, la solitude est une question de survie. Être seul, c'est être bien chez soi, avec soi. Peindre, quand tu as peur de la solitude, devient un exercice thérapeutique. Ce n'est plus un moyen d'expression ni de communication. Se sentir seul, perdu, abandonné, délaissé ne peut que brimer l'artiste, si ces sentiments l'angoissent. Cela ne veut pas dire qu'il ne peut pas les rendre sur la toile.* »

Comment peut-on se sentir en paix, assailli de sentiments troublants ou même lors d'une situation déconcertante comme le déménagement de ses parents (il n'a que seize ans) ? Et si la réponse se trouvait dans le sens qu'il donnait à la solitude : ce moment de calme qui crée « *ma zone créatrice* », comme le dit lui-même Bernard. Il faut voir la solitude en relation avec la perception que Bernard accorde à l'authenticité.

« *Je ne renie pas le partage, la socialisation, les "partys" et surtout les amitiés. C'est le superficiel qui me pousse à me retirer. Je n'aime pas davantage les soi-disant artistes qui se pavanent superficiellement ou le monsieur Tout-le-Monde qui cherche l'attention du public alors qu'il n'a rien accompli de concret ou de valable.* »

Il y a dans cette affirmation un haut niveau d'exigences dans les rapports humains. Les connaissances, c'est une chose. On les multiplie pour les bénéfices de notre passion : amener notre art à sa bonne fin. On les apprécie, mais à cette fin. Bernard tient une tout autre exigence en amitié. « *Mes amis sont d'habitude plus intelligents que moi; plus intéressants dans leurs conversations; et sûrement plus généreux.* » Il est curieux comme on peut voir chez l'autre des qualités qu'on ignore de soi-même ! La question se pose : si Bernard peut célébrer la richesse de ceux et celles qui l'entourent, peut-il en faire autant pour lui-même ?

can emerge. The best way to understand Bernard is to appreciate his relationship with solitude, as his source of inner renewal.

"As a painter, solitude is a matter of survival. Being alone is being at home with yourself. Painting because you are afraid of solitude becomes nothing more than a therapeutic exercise. If these feelings are a source of anguish, they are no longer tools for shared expression or communication. Feeling alone, lost, abandoned, rejected only stifles creativity. Yet that doesn't mean we can't express those emotions on canvas."

How could Bernard find a sense of peace when grappling with troubling emotions, or in a disconcerting situation like his parents moving away? He was only sixteen. The answer may lie in the meaning he gives solitude, to the moment of calm that he says shapes *"my creative zone."* Solitude must be seen in relation to Bernard's perception of authenticity.

"I don't reject sharing, socializing, parties, or, most of all, friendship. It is the superficial that pushes me away. I don't like so-called artists who show off, or some regular Joe who wants attention even though nothing real or valuable has been accomplished."

Such a statement can only suggest high expectations in the area of human relationships. Acquaintances are one thing. They are collected to serve the needs of our passion: helping bring our creative efforts to fruition. And for that purpose they are appreciated. But Poulin has always had other demands when it comes to friendship. *"My friends are usually more intelligent than I am, more interesting in their conversations, and definitely more generous."*

How puzzling it is that we see in others qualities to which we are seemingly blind in ourselves! It raises the question: if Poulin is able to celebrate the richness of those around him, can he do the same for himself?

La nécessaire transition

Arrivé à Ottawa, il fallait bien survivre. Bernard trouve un emploi dans une mercerie, chez Shaffer's Men's Wear, rue Rideau. En 1963, le passant curieux que j'étais y aurait vu ce jeune homme affairé à préparer les présentoirs des vitrines.

Les mannequins vêtus par la maison; Jean Filteau signait les décors. Bernard l'accompagnait comme décorateur. Si ce passant avait été un peu plus persistant, il aurait pu attirer le regard de cet artiste. Peut-être? Un regard croisé, un sourire furtif, un signe d'admiration.

Cet inconnu que j'étais, de l'autre côté de la vitrine, est resté pantois et intrigué dans son for intérieur. «Que fait-il là, cet ancien collègue de classe?» La vitrine comme cadrage, comme scène de théâtre ou future toile. Un jeune homme s'active à produire un contexte pour son art.

C'est un détour de la toile sûrement, mais l'artiste reste toujours au centre de son «théâtre». Il y aurait eu matière à créer un dessin.

À cette même période, Bernard Aimé Poulin perfectionne l'art du croquis. On retrace deux nus datant de cette époque.

A necessary transition

In Ottawa, Bernard needed to survive. The painter found a job in a clothing store, Shaffer's Men's Wear, on Rideau Street. In 1963, a curious young person strolling by might have seen Poulin at work setting up window displays.

Mannequins showed off the store's clothing, while the window dressing was by Jean Filteau, whom Bernard sometimes helped. If that passerby had been a bit more persistent, he might have caught the young artist's eye. A quick glance, a brief smile, some sign of admiration.

On the other side of the glass, the stranger I was stood surprised and intrigued. What was my former college classmate doing there? The storefront was a frame, a stage, a canvas to be filled. A young man busied himself producing a context for his art. Although this was definitely a detour from the canvas, the artist was still at the centre of his own theatre. It would have made a good subject for a drawing.

7. *Nue,* 1961
Fusain. 30,48 x 22,86 cm

7. *Nude,* 1961
Charcoal. 30.48 x 22.86 cm

8. *Nue-2*, 1961
Fusain. 30,48 x 22,86 cm

8. *Nude-2*, 1961
Charcoal. 30.48 x 22.86 cm

9. *Garçon*, 1963
Fusain. 30,48 x 22,86 cm

9. *A Boy*, 1963
Charcoal. 30.48 x 22.86 cm

10. *La tête rousse,* 1963
Fusain. 30,48 x 22,86 cm

10. *The Redhead*, 1963
Charcoal. 30.48 x 22.86 cm

Il est permis d'apprécier la qualité dans la position des personnages; le mouvement des membres, bras et jambes. La petite poupée de son enfance s'est animée. Les jeux d'ombres se raffinent. Les visages restent à distance. On est encore loin du portrait.

L'angoisse de l'artiste n'est pas apaisée. Il y a toujours une distance entre l'œil et la main. À retenir comme sujet d'interrogation : l'angoisse ne sera-t-elle jamais réduite à néant? Nous y reviendrons dans le chapitre quatre.

On retient quelques physionomies aussi. Le peintre veut devenir portraitiste. L'attrait se manifeste.

Une belle amitié s'est tissée entre Bernard et monsieur Shaffer, qui demeurera son mentor et un ami de la famille jusqu'à son décès en 2015.

Néanmoins, cet entrepreneur lui imposera un virage obligé en le congédiant et lui intimant l'ordre de poursuivre ses études. C'est alors que Bernard s'inscrit à l'École normale de l'Université d'Ottawa.

Il exécutera le portrait de cet ancien patron en 1996. Le coup de théâtre de monsieur Shaffer lui aura valu cette belle œuvre.

11. *Monsieur Milton Shaffer*, 1996
Huile sur toile. 91,44 x 60,96 cm

11. *Mr. Milton Shaffer*, 1996
Oil on canvas. 91.44 x 60.96 cm

During that period, Bernard Aimé Poulin was working on perfecting the art of the sketch. Two nudes date back to this time.

We can appreciate the quality of the position of the subjects; the movement of the limbs, arms, and legs. The articulated doll of Poulin's childhood was animated. Shadows were becoming more refined, though faces remained a distant mastery. We were still far from the portrait.

The artist's angst still simmered: there was still a disconnect between the eye and the hand. Does that concern ever completely disappear? We will come back to this omnipresent question in chapter four.

Some facial features were becoming recognizable, too. The artist wanted to be a portrait painter. The attraction was getting stronger.

Bernard and Milton Shaffer eventually became close friends, and the shopkeeper remained a mentor and family friend until his death in 2015.

However, early on in their relationship, Shaffer forced Bernard's life to shift: he fired him, and insisted that Bernard return to school. Reluctantly, the young man agreed, and signed up for teacher's college at the University of Ottawa.

In 1996, Poulin painted a portrait of his former boss, whose faith in him inspired a beautiful rendering.

Pour avancer, il faut oser

Bernard continue de s'inspirer des livres d'art. Il observe ce que les autres font. En 1964, il ose un autoportrait.

Il le dit inspiré de Bernard Buffet (1928–1999), peintre expressionniste français. La tendance de cette forme artistique consiste à projeter une subjectivité qui tend à déformer la réalité. Ainsi, le spectateur reçoit une forte émotion. L'expressionnisme n'est pas vraiment un mouvement, mais plutôt une réaction à l'impressionnisme qui décrit encore la réalité physique. Les expressionnistes ont une vue pessimiste de la vie étant donné leur temps (l'entre-deux-guerres). Toujours est-il, Buffet a produit de nombreuses illustrations de livres, dont celles de *Recherche de la pureté* (1953) de Jean Giono. Il a confectionné des décors pour le film *Le Rendez-vous manqué* (1958) de Françoise Sagan. Sans compter des sculptures et des timbres postaux! On peut faire un rapprochement avec Bernard Aimé Poulin et ce que nous avons avancé précédemment. L'art se nourrit des autres médiums: littérature, théâtre, musique et l'affiche ou le timbre postal, à la limite. La carrière entière de Bernard Aimé Poulin indiquera que lui aussi a touché à plusieurs médiums.

Y a-t-il un rapprochement intrinsèque entre les deux artistes? D'une part, la présentation angulaire des traits de cette peinture est évidente. Elle représente probablement un passage obligé dans la façon de rendre un visage. Une façon de réduire la distance entre l'œil et la main? Le regard du

Bold steps forward

Bernard continued to be motivated by what he discovered in art books. He was watching what others did. In 1964, he attempted a self-portrait.

The study, he said, was inspired by Bernard Buffet (1928–1999), the French expressionist painter. The main characteristic of expressionism is the projection of a subjectivity that skews reality. The intent is to elicit a powerful emotional reaction from the viewer. Expressionism is not really a movement; rather, it was a reaction to Impressionism that still sought to describe a physical reality. Expressionists had a pessimistic view of life, given the era in which they were working, between the two World Wars.

Buffet produced numerous book illustrations, such as for *Recherche de la pureté* (1953) by Jean Giono, and created movie sets, including for *Le Rendez-vous manqué* (1958) by Françoise Sagan. There were also sculptures and postage stamps.

There are similarities with Bernard Aimé Poulin's career, as suggested earlier. Art is nourished by other arts: literature, theatre, music, even posters or postage stamps. Poulin's entire career confirms that he too touched and was touched by several different art forms.

Is there an inherent similarity between Poulin and Buffet? The angularity of the features is obvious in this portrait, and probably represented a stepping stone for Bernard in rendering facial features. Had he found a way to reduce the distance between hand and eye? The look in the young man's eyes unmistakably

12. *Un premier autoportrait*, 1964
Huile sur planche. 60,96 x 45,72 cm

12. *A First Self-Portrait*, 1964
Oil on board. 60.96 x 45.72 cm

jeune homme retient davantage : toujours la même détermination. Un défi, même devant l'obstacle. À cette époque, le jeune Bernard Aimé Poulin étudie. Tout ce qui lui tombe sous la main l'inspire. Sait-il tous les détails sur l'art de Buffet ? Peu importe, cet artiste l'a inspiré à produire un autoportrait. À distance, cela paraîtra banal. Nous le disons pour le jeune peintre/lecteur. Tout vous influence, il faut oser. Ayez le courage d'être imparfait! Sans connaissances, on est ignorant. Trop de connaissances fige; c'est ce que dirait Bernard Aimé Poulin.

Reste-t-il quelque chose de Buffet dans le portrait de Kennedy (1963) ? La présence des lignes angulaires, peut-être ? L'observateur commun peut

13. *John F. Kennedy*, 1963
Huile sur planche. 45,72 x 35,56 cm

13. *John F. Kennedy*, 1963
Oil on board. 45.72 x 35.56 cm

sûrement apprécier la justesse du portrait. Au-delà de la représentation très assurée, le point de vue sur le personnage se manifeste plus distinctement dans ce tableau. Le profil fixe le caractère fort de Kennedy (mâchoires et lèvres), mais aussi, autour des yeux, une inquiétude est perceptible. Bernard Aimé Poulin se distingue dans cette œuvre par la maîtrise de la lumière qui crée l'impression de trois dimensions.

holds our attention: there is that same determination, as Poulin stands up to any and all obstacles.

Bernard continued to study. Everything he encountered inspired him. Was he aware of all the details of Buffet's art? Regardless, the artist inspired Poulin to paint a self-portrait, and in hindsight, the question seems trivial.

To the young painter reading this, we can only say: dare! Everything that strikes you can be an inspiration. Have the courage to challenge yourself, to be imperfect. Without knowledge, we stay ignorant, yet too much knowledge can be stifling. That is what Bernard Aimé Poulin would say.

Was there anything of Buffet left by the time Poulin painted a portrait of Kennedy in 1963? The angular lines perhaps. Anyone can certainly appreciate the accuracy of the portrait. Beyond the close resemblance, the focal point is also more distinct. The profile depicts Kennedy's strong character, in his jawline and his lips. Eerily, the area around the eyes betrays some concern. With this painting,

14. *Renée*, 1962
Pastel. 50,80 x 40,64 cm

14. *Renée*, 1962
Pastel. 50.80 x 40.64 cm

Un autre portrait de cette époque nous retient. Le mignon minois de Renée.

Il est bon de noter que Bernard se questionne : « *Est-ce que ce dessin en est un de ma sœur la plus jeune, décédée trop tôt, ou avais-je besoin de croire que c'était bien elle ?* » Esquisse produite à partir d'une photo de revue.

Cette enfant sait ce qui lui arrive, semble-t-il. La complicité évidente dans le regard avec une petite réserve de gêne (tout de même). Bernard affiche une prédilection pour les scènes d'enfants. Nous y reviendrons souvent ailleurs. Pour le moment, essayez de détourner les yeux de ceux de Renée. Ils vous captiveront.

Il me semble que ces premiers portraits représentent moins un travail de recherche intense sur l'art de peindre que la transcription réussie d'un observateur attentif. Sans minimiser cet exercice préparatoire, vient un temps où la main, semble-t-il, « suit » les yeux. Nous voyons ce que le peintre a vu et non son effort.

Bernard Aimé Poulin is clearly beginning to master the use of light, which creates three-dimensionality.

Another portrait from that period captures our attention: the pretty face of Renée. *"I'm not sure whether this is a portrait of my little sister,"* Bernard wondered, *"who passed away much too young, or whether I needed to believe that it was her."* The sketch was done from a magazine photograph.

This child in the portrait knows what's happening to her, or so it seems. There is an obvious complicity in the gaze, which is a little shy. Bernard has a predilection for representations of children. We will come back to this often. For now, I dare you to look away from Renée's eyes. They are riveting.

It would appear that these first portraits of Poulin's were less the product of intense research on the art of painting than successful renditions by an attentive observer. Without diminishing the preparatory work, there comes a time when the hand begins to follow the eye. And we in turn begin to see what the painter saw, and not simply his effort.

Chapitre 3
Le jeune adulte

*L*a vie n'est pas tracée sur une ligne droite. En 1964, diplôme d'enseignement en main, le jeune homme de 19 ans obtient un poste à l'école Saint-Gabriel de Cornwall, en Ontario. Il est le seul homme du personnel enseignant. Deux tâches lui sont assignées. Arroser la patinoire l'hiver! Plus généralement, les sports. Puis, la charge d'un nouveau cours de dessin. Tout mène au pinceau!

Ce cours reconnaît l'importance des arts dans le cursus scolaire. Était-ce une expérience exceptionnelle à l'époque? Il est permis de le croire. Voyez comme la vie fait bien les choses! Quelqu'un rêve de devenir artiste et elle lui dit : « Tu iras d'abord enseigner le dessin. » C'est aussi le moment pour le jeune adulte de développer son sens de « l'autre ». Souvenons-nous, Bernard fut un enfant qui aimait la solitude, le recueillement. Il apprendra qu'il est doué pour l'écoute et le partage. L'enseignement est une école d'apprentissage pour… l'enseignant d'abord.

Laisser ses traces

Il aura l'occasion, lors d'une exposition de peintures de ses élèves, qui a fait l'objet d'un article et d'une photo par *Le Droit,* le 9 juin 1965, de faire valoir ses vues sur l'enseignement: « *L'enfant dessine avec des*

Chapter 3
Young Adulthood

*L*ife doesn't follow a predetermined straight line. In 1964, teaching diploma in hand, Bernard got a job at Saint-Gabriel school in Cornwall, Ontario. The nineteen-year-old was the only man on the teaching staff, and therefore was given two tasks: flooding the skating rink during the winter, and handling sports in general. He was also assigned to teach a new drawing class. Every road leads back to the paintbrush!

The class was an acknowledgement of the importance of the arts in the curriculum, an apparently unusual recognition in those days.

Sometimes, the stars do seem to align: someone dreams of becoming an artist and life tells him, first, you will teach drawing. Poulin's new placement was also an opportunity for the young man to develop his sense of the other. Bernard as a child had sought solitude and introspection. Now, he was about to discover that he had a gift for listening and sharing. Teaching is a learning process, first and foremost for the teacher.

Leaving a mark

An exhibition of his students' paintings was featured in the newspaper *Le Droit* on June 9, 1965 along with a photograph. In the article, Bernard shared his perspective on teaching: "*A child draws with*

symboles fabriqués par son imagination et ses sens et on ne doit pas estropier ses dons d'expression en l'obligeant à dessiner à la mode des adultes; il apprendra, assez vite, à observer d'un œil plus réaliste. »

Vous ne reconnaissez pas dans ce texte l'enfant de onze ans devant le directeur de la galerie d'art à Windsor ? Le jeune enseignant nous donne à lire un condensé de sa pédagogie. Il utilise un terme fort : « estropier ». On ne peut s'empêcher de penser à l'être rebelle, révolté même, qui revient comme une constante chez Bernard.

Il n'est pas de ceux qui préconisent le laisser-faire. Au contraire, il est du côté de la discipline. Mais une discipline intérieure qui vient de la motivation profonde de l'être appliqué à devenir ce qu'il est. Souvent Bernard va s'élever en conversation contre l'intervention institutionnelle, étatique ou parentale. Son discours se fera tempétueux, à l'occasion, contre ce qu'il considère un abus, un empêchement à l'autonomie, ou une mise en doute de l'authenticité. Souvenons-nous de l'enfant de onze ans à la galerie Willistead à Windsor devant le directeur, monsieur Saltmarche ! Même objection ! Ce mot fort est accompagné d'un négatif (ne/pas). « *Vous m'avez compris ?* » semble dire le jeune enseignant. Mais voyons aussi le côté engageant de ces quelques phrases.

La vue (le terme « vue » plutôt que « notion » ou « idée » pour le domaine pictural) sur le dessin qui se dégage de ses propos réunit imagination et sensation. Dessiner, c'est faire. Pour faire, il faut réunir l'œil et la main. Le mystère réside dans la façon dont cette union se réalise. On comprend pourquoi Bernard l'exprime avec une telle force. Cela se produit par une opération symbolique. C'est pourquoi il faut lui donner libre cours. Si seulement on appréciait la profondeur de cet adage tant pour le langage que pour les mathématiques ou les arts. En tout apprentissage, un lien s'établit entre la tête, l'émotion et le corps. Sinon, vous vous mettez à enseigner ce lien et l'enfant ne le

symbols created by his imagination and senses, and we must not cripple his gift of expression by forcing him to draw like an adult. He will learn soon enough how to observe with a more realistic eye."

His affirmation recalls a glimpse of the eleven-year-old child standing before the director of the art gallery in Windsor. The young teacher, offering a condensed version of his pedagogy, used the word cripple, a strong word.

That sense of rebellion, that revolt emerges constantly in Poulin. This is not to say that he advocates self-indulgence. Quite the contrary: he is on the side of discipline, but an inner discipline that stems from the deep motivation of someone striving to become who he is. Poulin has often spoken out against institutional, state, or parental intervention. His words can sometimes be harsh when he addresses what he considers abuse, the hindering of autonomy, or when authenticity is undermined. Again, think back to that defiant eleven-year-old speaking out in Mr. Saltmarche's office at the art gallery in Windsor. His objection was the same. The word is framed as an interdiction: "we must not cripple..." The young teacher's voice insists: *Do you understand me?*

There is a lot to unpack in these few sentences. Poulin's view of drawing ("view," rather than a reference to a notion or an idea) brings together imagination and sensation. Drawing is about making, creating. The eye and the hand must be united. The mystery lies in how that union is brought about. It's easy to understand why Poulin expresses himself so forcefully. The process is symbolic, and must be allowed to flow freely. If only the truth of this precept were applied as much to language or to mathematics as to the arts! In any experience of learning, a link is established between the head, the heart, and the body. Otherwise, the teacher starts expounding on that relationship before the child apprehends it, because it hasn't come from within. (A short visit to Jean-Jacques Rousseau may be in order!)

comprend pas parce que cela n'est pas venu de son intérieur. Une visite aux textes de Jean-Jacques Rousseau s'impose!

Nous retenons une œuvre de cette période qui résume, à mon sens, où en étaient l'enseignant et le peintre.

L'échine courbée, les bras ballants, l'air songeur ou même déprimé, ce sont les traits qu'un pédagogue en formation a vus. Il y a ici la réunion de l'enfant récalcitrant que fut Bernard confronté à un élève en difficulté. Oui, la vie fait bien les choses. Rien n'est gratuit à qui veut le reconnaître. Ce tableau résume à la fois où en était rendu le peintre qui doit voler quelques heures la fin de semaine pour exercer son talent, mais aussi l'homme de 20 ans tenaillé par l'inquiétude existentielle; l'un des moteurs de sa réflexion comme humain. La vie réunit des forces divergentes.

Par ailleurs, Bernard peaufine sa dextérité par le dessin technique. Comment réussir le tridimensionnel? La précision de la ligne, l'attention aux détails, l'échelle de grandeur, la construction d'un espace. Nous retenons ces œuvres (figures 16 et 17) comme exemples du contrôle de la technique. Cette technique maîtrisée qui mènera à l'art.

Il écrira en 1989 : « *Lorsqu'on a onze ans et qu'on travaille depuis plusieurs années déjà à réaliser le rêve de sa vie, c'est-à-dire, devenir artiste, on a du chemin à parcourir. Mais, on ne le sait pas. C'est ça être un enfant, c'est ça devenir un artiste. Quand à 45 ans, on fait toujours les mêmes rêves, c'est qu'on a*

15. *Le garçon*, 1965
Huile sur toile de store. 91,4 x 61 cm

15. *The Boy*, 1965
Oil on canvas window blind. 91.4 x 61 cm

One painting from this period particularly seems to sum up the state of mind of the teacher and of the painter.

Bent forward, arms dangling, looking pensive or even depressed – these are features noted by a teacher. The subject combines the rebellious child Bernard was and the difficulties faced by a struggling student. The stars align. Knowledge never comes easy. This painting captures Poulin's situation at the time, having to steal a few hours over the weekend to practise his art, as well as the twenty-year-old in the grip of existential angst – what drives his reflections as a human being. Invariably, life brings together opposing forces.

Poulin also continued to hone his skills through technical drawing. How to get three-dimensionality right? The precision of line, attention to detail, scale, the use of space. These works (figures 16 and 17) are examples of technical control, of the mastery that leads to art.

As he wrote in 1989, "*When you're eleven years old and you've already been working for several years to fulfill your life's dream, which is to become an artist, you have a long road ahead of you. But you don't know that. That is what being a child is about, that's what it's like to become an artist. When you're forty-five and dreaming the same dreams, that means you're still eleven years old. But this time, you know it. Maybe that's the difference between those who are artists and those who will never be.*"

16. *Ran-Gal Studios – design intérieur,* 1965
Graphite. 22,86 x 30,48 cm

16. *Ran-Gal Studios – interior design,* 1965
Graphite. 22.86 x 30.48 cm

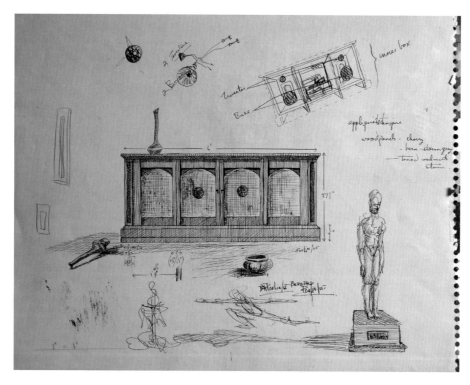

17. *La crédence,* 1965
Plume et encre. 22,86 x 30,48 cm

17. *The Credenza,* 1965
Pen and ink. 22.86 x 30.48 cm

toujours onze ans. Et cette fois-ci, on le sait. C'est peut-être ça la différence entre ceux qui sont des artistes et ceux qui ne le seront jamais. »

Jusqu'ici, Bernard Aimé Poulin a peu partagé ses productions. Il a même été peu suivi par des mentors. On pourrait penser que le détour dans l'enseignement fut une perte de temps. Tout vient à son heure à qui sait persévérer. À l'hiver 1967, Bernard croit le moment venu de faire une incursion dans la vie publique. Avec ses 26 toiles en portfolio, il présente une première exposition pendant deux semaines à la Galerie d'art de la Côte de sable. Vous avez des papillons ? On peut imaginer sa nervosité, l'enjeu de déplacer toutes ses œuvres, de les fixer au mur. Comment annonçait-on une telle exposition à l'époque ? Facebook, bien sûr !

Où sont rendues ses premières peintures ? Qu'en pensent leurs propriétaires aujourd'hui ? Devant une telle production au fil des années, la collection de ses premières réalisations s'est dispersée. Que de recherches en perspective !

Nous avions mentionné quatre points de vue que nous voulions maintenir en cours d'écriture. L'un de ceux-là s'adresse à l'inachevé. Cette idée que l'être vivant cherche à compléter quelque chose pour laquelle il croit être né. Nous sommes devant un tournant. Bernard vit quelque chose d'inachevé. Il suffira d'être disponible devant le défi à relever. Quelque chose va surgir !

Souvenons-nous du petit garçon expulsé de son premier cours de dessin à onze ans. De l'adolescent au magasin de meubles à Windsor, cet entrepreneur de quatorze ans qui s'associe à un vendeur de meubles. Puis, du jeune de 18 ans congédié chez Shaffer ! Il y a là un parcours chargé. Bernard ne suit pas des sentiers battus. Le sens de l'autonomie fonde son action dans à peu près tout. L'obstacle n'est pas tant un sujet d'angoisse qu'une occasion de tester la résilience de tout être dans la vie. Jusqu'où puis-je pousser l'aventure ? La satisfaction ne viendra pas à vaincre l'obstacle, mais de savoir que c'était possible.

By this point, Poulin had rarely shared his work with anyone. He had few if any mentors. It might seem that the detour into teaching was a waste of time. Yet all things come to those who persevere.

By 1967, it was time to step out into the public eye. With twenty-six paintings in his portfolio, Poulin held a two-week exhibition, his first solo show, at the Sandy Hill Art Gallery in Ottawa. Talk about butterflies! Then there was all the work of transporting the artworks, hanging them. And how would an exhibition have been advertised in those pre-Facebook days?

What became of those paintings? What do their owners think of them today? Poulin's production over the years has been voluminous, and those first works are scattered. To find them all would be a monumental task.

Of those four overarching points that inform this book, one deals with incompleteness, the idea that living beings attempt to accomplish something for which they think they were born. Bernard, at a turning point in his life, was feeling that incompleteness. Is it enough to be open to the challenge? Something was about to happen.

Remember the boy expelled from his first drawing class at the age of eleven. The teenager in the Windsor furniture store, a businessman at fourteen, with his furniture-salesman associate. The eighteen-year-old fired from Shaffer's. His path has been strewn with obstacles; then again, Bernard Aimé Poulin does not follow a beaten path. His sense of autonomy underpins almost every single thing he does. Obstacles are no cause for anxiety, but rather opportunities to test his resilience. It's all a matter of how far he can take the whole adventure. Satisfaction isn't about overcoming an obstacle, but about knowing that it was possible.

Holding a solo show at his age and under such conditions was something only a rebellious spirit would have undertaken. Whatever happened, in the end, with Poulin's first exhibition? As in any aspect of life, some rules of conduct apply. Going

Présenter une exposition à son âge et dans les conditions qu'il s'était données constitue un acte que seul un esprit rebelle peut même imaginer réaliser. Qu'en est-il de l'exposition de peintures? Comme partout dans la vie publique, des règles de conduite s'imposent. La progression des étapes à suivre ralentit l'arrivée en scène. Première incompatibilité pour Poulin. Normalement, le jeune artiste sans le sou voudrait soumettre ses ébauches à des comités d'évaluation dans l'espoir de recevoir une bourse. Pas Poulin. Une galerie acceptera d'exposer une ou deux toiles dans un collectif où vous passerez inaperçu. Pas du genre Poulin! Puis, il y a le «risque» que les propriétaires de galeries veuillent vous influencer. Sans compter les commissions démesurées, aux yeux de Poulin, que ceux-ci pourraient exiger. Encore une fois, «horreur» pour Poulin.

On peut voir, dans ces divers refus, une facette mystérieuse de la vie qui anime Poulin. «*Si je pouvais contenir par moi-même tous les facteurs de l'environnement?*» semble la question qui oriente l'énergie sous-jacente. Vous l'aurez remarqué: j'ai utilisé le mot «Poulin» six fois dans ce paragraphe. Poulin prend de plus en plus d'espace!

Bernard Aimé Poulin, le baptême du feu!

Alors quoi? On fonce. La galerie de la Côte de sable lui offre une occasion selon ses vues: en solitaire, une galerie à lui seul. Poulin se dit satisfait de l'achalandage et des ventes, compte tenu d'un premier essai. Mais avec l'exposition publique viennent les critiques. Le quotidien *Ottawa Journal* lui réserve un entrefilet élogieux. On y parle d'un jeune artiste «talentueux» qui «excelle» dans ses croquis au crayon. On mentionne, par titres à l'appui, quelques peintures que l'on trouve particulièrement réussies. Mais il y a le revers.

Une certaine Denise Côté lui réserve un long article dans *Le Droit.* Déjà, le fait de lui consacrer tant d'espace annonce un peu l'importance

through the necessary steps slows down the moment of actually arriving on the scene.

Here was a first incompatibility for Poulin. Normally, a penniless young painter submitted his drawings to an evaluation committee in the hopes of receiving a grant. Not Poulin. A gallery might agree to include one or two paintings in a group show, where the young painter would go unnoticed. That was never Poulin's style. Then there's the risk that gallery owners might try to influence the artist, not to mention their potentially exorbitant commissions. All of it was abhorrent to Poulin.

Through these various refusals, we discover a mysterious facet of Poulin's life, his driving force. The underlying question that motivates him always seems to be, *What if I could control every aspect of my environment on my own?* Just as his name pops up half a dozen times on this page alone, Poulin was taking up more and more space!

Bernard Aimé Poulin, baptism of fire

He went for it. The Sandy Hill Art Gallery offered Poulin an opportunity that met his needs: a solo exhibition, with the gallery all to himself. Poulin was satisfied with the number of visitors and the sales, given that this was his first attempt. However, along with a public exhibition come the critics. The *Ottawa Journal* published a short review filled with praise, speaking of a "talented" young artist who "excels" in pencil drawings. Some of Poulin's works were mentioned as examples of particularly good drawings.

There was also a flip side. A critic by the name of Denise Côté published a long article on Poulin in *Le Droit.* The length of the article itself was an indication of the artist's importance, but despite

de l'artiste. Malgré quelques tentatives pour lui trouver des qualités, l'auteure lui reproche à peu près tout, d'abord le fait d'être de style figuratif « insensibilisé au renouveau contemporain ». Le tableau *Michel* la répugne pour « la lourdeur du pied (qui) écrase, défonce la toile ». L'œuvre *Renée* que nous avons vantée (figure 14) lui « rappelle ces portraits peints en série et vendus dans les grands magasins. Un petit sourire figé et bien commercial… ». Elle conclura ainsi : « À Bernard Poulin, il faut dire peignez, peignez beaucoup […], mais de grâce, épargnez au public vos essais et vos études. » Dans un autre article, *Le Droit* annonce l'exposition. On y voit un Poulin, sourire retenu, auprès de sa peinture *Tristesse*.

Je me suis demandé si la tristesse l'avait atteint. Le rêve de peindre n'est pas disparu avec ce revers. La vie n'est pas tracée sur une ligne droite, ai-je dit plus tôt. Le terrain n'est pas lisse non plus. Pour ceux et celles qui vivent un rêve en devenir, la meilleure éducation se trouve dans ces moments où tout nous échappe. Il faudra lire la suite de son histoire pour comprendre combien Bernard a appris de cette expérience. Remis dans le contexte de l'époque, ses essais et études sont des témoins valables de l'artiste en rodage.

Je ne suis pas critique d'art; néanmoins, une opinion se pointe. Il est curieux de constater combien le critique d'art ou de littérature semble croire qu'il aura une meilleure prise en insistant sur ce qu'il aurait aimé voir plutôt qu'en commentant ce qui est devant lui. Aller vers le public, avions-nous dit, s'accompagne de règles. Il y a de bonnes critiques négatives. En était-ce une ? Je me serais gardé une certaine réserve compte tenu de l'âge de l'artiste. Sans condescendance, offrir des pistes constructives, plutôt qu'un jugement sans appel ou une interprétation qui blâme, aurait mieux convenu.

Bernard Aimé Poulin accepte les règles pour comprendre ce qu'il sait déjà : à ce point-ci, les

some gestures at finding a few qualities in his work, Côté criticized just about everything Poulin did, even his figurative style, which she said was "oblivious to contemporary renewal." The drawing *Michel* she particularly disparaged, for the "heaviness of the foot that crushes, tears through the canvas." The painting entitled *Renée* (figure 14), praised earlier, reminded Côté of "those portraits painted in series and sold in department stores. A frozen and very commercial little grin." "To Bernard Poulin," she concluded, "I must say, paint, paint a lot […] and for heaven's sake spare the public the pain of your drawings and studies."

In another article, on Wednesday January 25, *Le Droit* announced the exhibition, printing a photo of Poulin, with a reserved smile on his face, beside his work *Tristesse* (Sadness). I wonder if he actually was saddened by it all. His dream of painting did not fade with this setback. Life doesn't unfold in a straight line, as I said. And the road taken isn't always well paved. To those readers who are living a dream that is taking shape at this very moment, remember that the most important learning experiences are those

18. *La p'tite aux yeux grands*, 1966
Huile sur planche. 27,94 x 20,32 cm

18. *The Little One's Big Eyes*, 1966
Oil on board. 27.94 x 20.32 cm

19. *Le vieil homme et la mer*, 1966
Pastel. 76,20 x 60,96 cm

19. *The Ancient Mariner*, 1966
Pastel. 76,20 x 60,96 cm

galeries ne sont pas pour lui. Il comprend leur raison d'être; sans elles, peu d'artistes vivraient de leur art. En s'y soumettant, il faut aussi répondre à un style. Poulin est convaincu que les galeries ne seront pas intéressées par le sien. Qu'à cela ne tienne! Bernard Aimé Poulin fera ce qu'il a toujours privilégié : suivre sa voie.

Le ferment du pédagogue s'active

À l'été 1965, Bernard revient à Ottawa. Il suivra des cours en psychologie et en éducation spéciale pour élèves en difficulté d'apprentissage. Il prend une charge à la résidence Mont-Saint-Joseph, chez les Sœurs de la Charité d'Ottawa. En 1962, cet ancien orphelinat fut transformé en école résidentielle. Non seulement il y enseigne, mais aussi, il y réside. Sûrement peu payé, Bernard y trouve néanmoins son compte : la solitude, l'inspiration spirituelle et une occasion d'appliquer sa pédagogie.

that appear when you've lost your bearings. As for what Bernard learned from the experience – read on! In the context of that period, his sketches and paintings are valuable witnesses to an artist in the making.

I am not an art critic, but I will nonetheless share an opinion. It is odd that critics of art or literature seem to believe they will have more clout if they insist on what they would have liked to see instead of commenting on what is actually before them. Showing your work in public comes with rules, true. And there can be good negative critiques. Was this one of them? In Côté's stead, I might have measured my comments given the artist's age – without condescension, but, perhaps more appropriately, offering up more constructive options rather than a unilateral judgment or an interpretation that simply condemns.

But Poulin accepted the rules of the game. He understood what he must already have known: at that point in time, galleries weren't for him. He could see their purpose: without them, few people could make a living from their art. But going along with the gallery model also meant fitting a prescribed style, and Poulin felt that galleries wouldn't be interested in his. So be it! Bernard Aimé Poulin would do what he had always done: follow his own path.

The pedagogue within emerges

In the summer of 1965, Bernard returned to Ottawa. He studied psychology and special education for students who had social barriers to learning, and accepted a position as director of the boys' department at Mont-Saint-Joseph, which was run by the Sisters of Charity in Ottawa. The former orphanage had been converted into a boarding school in 1962. Poulin not only taught there, he also lived at the school. The job was poorly paid, but Bernard nonetheless found what he was looking for – solitude, spiritual inspiration, and the opportunity to implement his pedagogy.

Au début, il est le seul enseignant diplômé au Mont-Saint-Joseph; il s'occupe de ces jeunes, dont certains aux prises avec des difficultés d'apprentissage ou des troubles émotifs lourds. Bernard perfectionne sur le tas ses talents de pédagogue. Mais surtout, il s'investit d'une mission; il trouve sa vocation. Comme on l'a vu depuis son adolescence, il sait qu'il doit obtenir de l'aide pour donner à cet engagement une chance de réussir. Très tôt, il trouve le moyen de retenir l'attention (on se demande comment) de la CBC. À l'époque, CBOT produisait une série de documentaires de quinze minutes, appelée *News Pictorial*. Bernard avait signé le tableau *Hope is a Good Word*. L'équipe de production en avait fait le titre de l'émission et avait capté l'essentiel des défis que Bernard vivait dans son établissement. Diffusion instantanée en anglais et en français.

Et la machine s'emballe! Ses amis lui envoient des lettres de félicitations. L'une d'elles commence comme suit : « Je gagerais cher que nous avons fait la même chose ce soir à 6 h 15 », signée par un dénommé Jacques. Des inconnus aussi tiennent à lui dire combien ils ont trouvé inspirant ce reportage. La direction du conseil scolaire se réveille à l'importance de ce type d'enseignement et dénoue les cordons de la bourse (quelque peu!). Des mécènes mettent à sa disposition leur demeure pour permettre à ces enfants de jouir d'un après-midi à la piscine, jouer dans le grand parc de la propriété et s'offrir une collation de rois. Une documentation fournie de ces échanges émeut le lecteur que je suis quelque 50 ans plus tard. Est-ce possible? Bernard n'a que 21 ans. Il s'est investi dans un milieu très défavorisé. Et voilà! Les yeux se tournent vers son œuvre. On répond à son enthousiasme.

Bernard le sait-il? Sans sous-estimer ses capacités, je pose la question parce que la situation revêt une grande importance. Il vient de mettre sur pied le début de l'enseignement spécialisé pour enfants présentant des problèmes émotifs.

In the beginning, Poulin was the only qualified teacher at Mont-Saint-Joseph. Most of his charges had learning difficulties or serious emotional problems. Bernard found an opportunity to apply and hone his skills as a pedagogue, but most of all, he found a mission; he found his vocation.

As had been the case since adolescence, he knew he needed help if this commitment was to succeed. Early on, who knows how, Poulin caught the attention of the CBC. At the time, CBOT produced a series of fifteen-minute documentaries called "News Pictorial." Bernard inspired the production crew's choice of title, "Hope is a Good Word." The episode depicted the challenges faced at Mont-Saint-Joseph.

The show was broadcast in English and in French, and it was an immediate hit. Poulin's friends sent him letters of congratulations. One, signed by someone named Jacques, reads, "I would bet we all did the same thing this evening at 6:15 p.m." Strangers too wanted to tell him how inspiring they had found the broadcast. The school board administration began to realize the importance of this kind of teaching, and loosened the purse strings, at least somewhat. Benefactors made their homes available so the children could enjoy an afternoon at a swimming pool, play in the huge parks on their properties, and feast on snacks fit for a king.

Fifty years later, reading these exchanges moves me. Was Bernard really only twenty-one years old at the time? He had dedicated himself to an extremely underpriviledged population. Suddenly, all eyes were on his work, and people were really responding to his enthusiasm.

Without wanting to underestimate Poulin, I'm not sure he was aware of the importance of the public support. He had just laid the foundation for special education for emotionally troubled children.

Une photo de l'époque le montre à son bureau concentré à préparer ses classes ou à corriger des copies pendant que des élèves jouent à saute-mouton à quelques pas de lui. Cette photo donne une idée de l'aspect rudimentaire des installations. Précisons que Bernard surveillait ses pupilles du lever au coucher. Il avait une chambre attenante au dortoir : dormait-il des nuits complètes ? Il s'occupait d'organiser leurs loisirs : où trouvait-il répit ?

Cette période semble avoir été menée par le goût de l'action, si importante au cœur de Bernard. En oublie-t-il le besoin de se ressourcer qu'il nourrissait dans sa jeunesse sous un vinaigrier ou en flânant dans le Windsor de son enfance ?

Mais demanderez-vous où est le portrait de l'artiste dans cette narration ? Cette dimension de sa vie n'est pas différente de celle qu'il choisira comme artiste. La poussée vers la vie est d'abord viscérale chez lui. Une sensation, une émotion feront que la tête se débrouillera pour trouver une idée juste qui mène à l'action.

On peut se demander, en effet, comment il maintient son intérêt pour l'art. Bernard trouve le temps de s'adonner à sa passion pour la peinture. Son application peut prendre la forme d'un papier à en-tête, de décors de scènes…

Vers la fin de cette période dans l'enseignement, il trouve le moyen d'offrir des tableaux pour des œuvres caritatives : la vente aux enchères des Grands Frères, le Club Richelieu, le

A photo from the time shows him at his desk focused on preparing a class or grading while students play leapfrog a few steps away. The photo gives an idea of the school's rudimentary installations. It should be said that Bernard watched over his pupils from sunrise to sunset. He had a room adjacent to the dormitory. Was he able to sleep at night? He even had to plan the students' leisure activities. When did he have free time? This period in his life seemed focused on a need for action, which was so central

20. *Le jeune professeur et ses élèves*, 1966
Photo
20. *The young teacher and his students*, 1966
Photo

centre hospitalier pour enfants de l'est de l'Ontario, entre autres.

Bon an mal an, entre 1967 et 1978, Bernard produira quelque 30 peintures par année: des essais, des encres et croquis de toutes sortes. La documentation consultée montre au-delà de cent réalisations: fusain, crayon, encre, pastel, huile, des sculptures aussi! Voyez ici quelques-unes de ses œuvres.

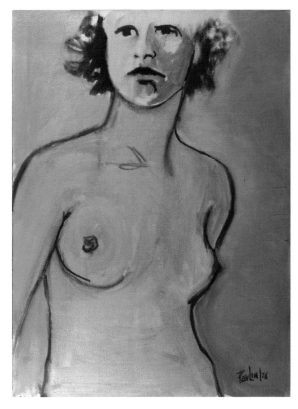

21. *Torse féminin*, 1976
Huile sur planche. 60,96 x 45,72 cm

21. *Female Torso*, 1976
Oil on panel. 60.96 x 45.72 cm

Paysages, nus, architecture, portraits, encre, pastel, fusain, gouache, aquarelle, huile, tout se maîtrise dans le temps.

Revenons sur cette vie au Foyer de l'enfance du Mont-Saint-Joseph et plus tard à la M.F. McHugh School de la Royal Hospital où son sens du dévouement va lui faire oublier la nécessité de remettre en question l'intensité de son engagement. On voit

for Bernard. Was the price of his devotion some loss of freedom, the loss of time to re-energize as he once had, surrounded by sumac bushes and daydreaming in Windsor as a child?

As for where the portrait of the artist lies, in this period of Poulin's life... This work wasn't so different from the life he later chose as an artist. Life for Poulin has always been essentially visceral. A sensation, an emotion, which the head will sort out to settle on a

22. *La forêt bleue*, 1973
Huile sur planche. 20,3 x 12,7 cm

22. *The Blue Forest*, 1973
Oil on panel. 20.3 x 12.7 cm

plan that inevitably leads to action.

23. *La maison à Marie sur Beaulac, Aylmer*, 1977
Aquarelle. 30,48 x 40,64 cm

23. *Marie's House in Aylmer*, 1977
Watercolour. 30.48 x 40.64 cm

24. *Aux environs du Camp Fortune*, 1972
Huile sur planche. 15,24 x 22,86 cm

24. *Near Camp Fortune*, 1972
Oil on panel. 15.24 x 22.86 cm

25. *Une pomme*, 1969
Aquarelle. 17,78 x 20,32 cm

25. *Apple*, 1969
Watercolour. 17.78 x 20.32 cm

26. *Fleurs*, 1967
Huile sur planche. 40,64 x 30,48 cm

26. *Flowers*, 1967
Oil on panel. 40.64 x 30.48 cm

dans ses échanges épistolaires de l'époque le même fonceur en conflit avec les autorités conservatrices. L'homme d'action qu'il est s'impatiente devant les tracasseries administratives. L'obstacle que la vie lui présente est là, à l'extérieur : « *Quelque chose m'empêche d'achever mon projet.* » Quel est ce projet ? Personne n'a d'autorité sur les motivations personnelles d'un autre. Risquons une hypothèse. L'allure que ses motivations prennent semble devoir/vouloir/pouvoir contenir tout cet extérieur : la misère humaine, les injustices, les imperfections. Pensons à l'œil de l'artiste : celui qui observe le sujet à capter. N'y a-t-il pas là une ressemblance ? « *Saisir cet extérieur, cet univers qui m'échappe.* »

Assurément, des témoignages de l'époque nous vont droit au cœur. À les consulter, un sentiment de tendresse m'envahit. Mais aussi, une inquiétude se pointe. Nous sommes devant un véritable missionnariat. On imagine mal aujourd'hui qu'il n'y a pas si longtemps, des êtres pouvaient à ce point s'investir dans leur profession. Voyez cette carte de souhaits d'un enfant de treize ans à celui qu'il nomme son père. Cet enfant se soucie de la santé financière de son protecteur (une pièce d'un sou était collée au centre).

Jusqu'en 1978, il poursuivra son enseignement auprès d'enfants en difficulté d'apprentissage. Ce travail commence à lui peser lourd, tant pour les exigences qu'il impose que pour le peu de temps qu'il lui laisse pour peindre. Il poursuit en temps libre ses essais et ébauches.

Il aura donné treize ans à l'enseignement et à la mise sur pied de ce programme en éducation spéciale (selon le terme de l'époque). Durant cette période, une blague circulait parmi ses amis. « Ce n'est pas la peine de l'inviter au party, Bernard tombe endormi après une heure et un demi-verre ! » En réalité, il cachait une fatigue profonde. À un point tel que ses amis s'en inquiètent et lui payèrent, en 1967, un congé pour qu'il aille se reposer aux

27a. Carte de vœux (fête des Pères), 1967
Photo

27a. Father's Day Card (cover), 1967
Photo

How did Poulin maintain an interest in art? He found time to pursue his passion for painting, at times by designing letterhead or creating stage sets and costumes. He offered paintings to charitable organizations, at auctions for the Big Brothers, the Richelieu Club, and the Children's Hospital of Eastern Ontario, among others. Year in, year out, between 1967 and 1978, Bernard produced over thirty paintings, essays, ink drawings and sketches annually. His archives show more than one hundred works in total, in a variety of media – charcoal, coloured pencil, ink, pastel, oil, and sculpture – some of which are reproduced above.

Landscapes, nudes, architecture, portraits, ink, pastel, charcoal, gouache, watercolour, oil – any technique can be mastered in time.

Meanwhile, at the Foyer de l'enfance Mont-Saint-Joseph and later at the M.F. McHugh School at the Royal Ottawa Hospital, Bernard's sense of dedication made him forget to question the intensity of his commitment.

His written correspondence from that time shows the same go-getter in conflict with conservative authority figures. As a man of action, he quickly grew impatient with administrative red tape. The obstacle life was presenting him with now was there,

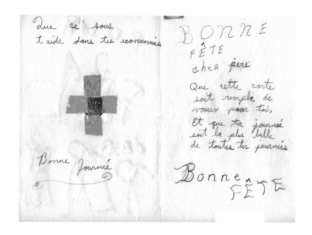

27b. Carte de vœux (fête des Pères), 1967
Photo

27b. Father's Day Card (interior), 1967
Photo

Bermudes. Bernard ne le sait pas; ce sera une expérience prémonitoire. Beaucoup plus tard, ce lieu deviendra un de ses contextes privilégiés comme peintre. Peu après cet épisode, il quittera l'enseignement. Il accepte un poste de recherchiste et interviewer à Radio-Canada.

just beyond: "*Something was preventing me from achieving my objective.*" What was that objective? No one can command someone else's intentions.

If I may venture a hypothesis, I would say that the attraction of Poulin's motivations is that they must, should, or want to contain everything that lies beyond his reach – human misery, injustice, imperfections. The desire to be all-encompassing is not unlike how the artist's eye contemplates the subject, "*seizing the outer world, the universe that is just beyond my grasp!*"

It goes without saying that testimonials from that period are heart-rending. Reading through them, I am overwhelmed by a feeling of tenderness. But there is a sliver of concern. Poulin's was truly a calling, a mission. It may seem difficult today to imagine that not so long ago someone might have been so deeply invested in his profession. A greeting card from a thirteen-year-old child to the man he calls his father is a touching example. The boy is even concerned with his protector's financial health: a penny has been glued in the centre!

Poulin taught children with learning challenges until 1978. Increasingly, the work was becoming a burden, both because of its demands, and because of the little time left over for painting. In what free time he had, he kept working on studies and sketches.

By the time he left the profession, Poulin had devoted more than thirteen years to teaching, and had implemented a special-ed program. During this period, there was a running joke among his friends: there was no point inviting Bernard to a party, since after one hour and half a drink he inevitably fell asleep. Poulin was exhausted. His friends were growing increasingly worried and in 1967 treated him to a holiday in Bermuda. He didn't know it then, but the vacation was a sign: Bermuda became one of the painter's favourite places.

Soon after that trip, Poulin left teaching, and accepted a position as a researcher–interviewer at Radio-Canada.

Le recherchiste trouve là
où il ne s'y attendait pas!

Ce court stage sera une transition qui apportera un vent de légèreté. Celui qui s'affichait comme rebelle ou revendicateur se dit tout heureux d'entrer dans le moule d'une institution de haute renommée : la CBC. L'horaire du neuf à cinq lui convient après tant d'années de dévouement. Le travail consiste maintenant à préparer des interviews en les documentant. Reposé, il peut reprendre sa production artistique plus activement.

Mais Bernard ne peut se reposer longtemps. Il déclare son amour à… sa patronne, Marie-Paule Charette. Celle-ci lui aurait signifié qu'elle aime bien ses peintures, mais de là à répondre à ses avances, il n'en était pas question étant donné leur rapport professionnel. Qu'à cela ne tienne! On a déjà vu la façon dont Bernard traite un obstacle. Il lui présente sa démission! Le couple a fêté son 42ᵉ anniversaire en 2019!

Striking gold in an unlikely place

This short time in Poulin's life was a breath of fresh air. The man who had identified as a rebel and an advocate was now happy to fit the mould of a highly reputable institution. After so many years of round-the-clock dedication, his nine-to-five schedule at Radio-Canada suited him perfectly. His job consisted of preparing interviews and recording them for broadcast. He felt rested, and soon picked up the pace of his artistic production.

But Bernard was never one to rest for long, and soon declared his love for… his boss, Marie-Paule Charette. She liked his paintings, but accepting his advances was out of the question because of their professional relationship. Bernard Aimé Poulin, not one to stand down before an obstacle, immediately tendered his resignation. The couple celebrated their forty-second year together in 2019.

28. *La vente, chez Jett Landry, Sudbury*, 1981
Huile sur planche
38,1 x 60,96 cm

28. *Sale at Jett Landry's, Sudbury*, 1981
Oil on panel
38.1 x 60.96 cm

Chapitre 4
Le professionnel

Qui prend Marie, prend pays (1978, Sudbury)

À la même époque, Marie-Paule est promue à une affectation à Sudbury. Elle ira mettre sur pied le nouveau poste CBON de Radio-Canada. Cette radio régionale fêta son 40ᵉ anniversaire en 2018.

C'était un retour à son pays natal pour Marie-Paule. Pour Bernard, né à Windsor, ce fut un moment de grande découverte.

« Dès mon arrivée, j'ai vu Sudbury comme le lieu idéal pour faire carrière en arts visuels. J'y ai trouvé une communauté culturelle énergique. Le Nouvel Ontario, comme ils appellent leur région, est accueillant. Peut-être à cause de la relative distance des grands centres, les gens chérissent leur autonomie. Ils savent se prendre en main et faire naître leurs institutions. […] En l'espace d'une semaine à Sudbury, on se sent accueilli et apprécié. Les amitiés se veulent nombreuses et riches. La chaleur et le cœur des gens "du Nord" sont aussi naturels et cristallins que les milliers de lacs de la région. Mais ce qui est le plus extraordinaire c'est qu'une fois visités, une fois expérimentés, les atouts du Nord de l'Ontario ne nous abandonnent jamais. Que ce soient les gens, la géographie, les ressources naturelles sous terre comme sur terre, Sudbury et la région font dorénavant partie

Chapter 4
The Professional

To love, honour, and... move: Sudbury, 1978

Not long after, Marie-Paule was promoted to the position of founder–director of a new radio station in Sudbury, Ontario, the Radio-Canada affiliate CBON. The regional radio station celebrated its fortieth anniversary in 2018.

For Marie-Paule, moving to Sudbury was a return to her roots. For Bernard, born in Windsor, in the southernmost region of the province, it was a moment of discovery. In a preface to a Northern Ontario cookbook, he wrote,

"Not long after our arrival in Sudbury, I saw the city as an ideal place for a career in the visual arts. It had and has an energetic cultural community. New Ontario, as they call their region, is friendly and welcoming. Perhaps this is due to the relative distance from major urban centres. People here cherish their autonomy. They know how to take charge and create their institutions. […] After only a week in Sudbury, you feel welcomed and appreciated. Friendships are numerous and rich. The warmth and heart of people from 'the North' are just as natural and pristine as the thousands of lakes in the region. But the most extraordinary thing is that once visited, and experienced, the assets of Northern Ontario never leave you. The people, the geography, the natural

de notre être. Naturellement, rien n'est plus symbolique de la bonté de cette région que les bleuets. Quoique minimes à comparer aux bleuets d'ailleurs, ils sont intensément plus riches en saveur et en bénéfices. Ce sont justement les bleuets qui ont été les premiers sujets de mes toiles du Nord de l'Ontario. Et ce sont ces mêmes bleuets qui ont su m'encourager dans la carrière internationale que j'ai choisi d'embrasser à partir de Sudbury. Merci Sudbury. Merci le Nord de l'Ontario. Vous aurez toujours une place tout à fait spéciale dans mon cœur. »

On reconnaîtra dans ces mots des thèmes qui plaisent aux oreilles de Bernard Aimé Poulin : espace, liberté, autonomie, nature. Il nous fait sentir combien il est libre à nouveau. Bernard Aimé Poulin porte en lui un paradoxe intéressant. On l'entend ici vanter les mérites de la collectivité alors qu'il est en même temps un individualiste accompli. Effet de son tempérament ou obligation de son choix de métier ? Solitaire de nature ou pour survivre comme peintre ? Qui est ce Bernard ? Suivons-le… au pas de course !

Rapidement, il entrevoit des scénarios d'entrepreneur. Il a tout son temps à lui. Il ouvrira son studio : Classic Perceptions classiques. Il devient son propre agent de promotion : contacts nombreux, publicités de son cru. Il exposera au salon La Galleria, au Musée et centre des arts de l'Université Laurentienne, à la Galerie Réo Gauthier et au magasin de madame Stephanie Blake. Le portraitiste reçoit commande sur commande. Un dessin est inclus dans une exposition aux États-Unis, pour être repris par la suite dans le catalogue de la compagnie de crayons Berol. *Ti-Jean Batisse* (figure 29) est choisi par la Maison de la francophonie à Québec et ira en tournée dans 20 villes canadiennes et dans douze pays d'Europe. Voyez-le ci-dessous. Ce n'est plus l'enfant soumis vêtu d'une peau de mouton de la tradition de la Saint-Jean-Baptiste qu'il donne à voir. Le sien prend une posture d'un petit fanfaron

resources below and above ground, Sudbury and area are now part of our being. Naturally, nothing is more symbolic of the goodness of this area than blueberries. Though they are tiny compared to blueberries grown elsewhere, their flavour and properties are much more intense and rich. In fact, blueberries were the subject of my first paintings in Northern Ontario. And these blueberries encouraged me to embrace the international career in the visual arts that I aspired to. Thank you Sudbury. Thank you Northern Ontario. You will always hold a special place in my heart."

These words reiterate Poulin's values: space, freedom, autonomy, nature. His sense of rediscovered freedom is palpable. There is an interesting paradox in Bernard Aimé Poulin: he praises the merits of community, but at the same time he is highly individualistic. Is that the result of his temperament, or an obligation in his chosen profession? Is he solitary by nature, or does solitude allow him to survive as a painter? Who is this Bernard? Let's follow him... and try to keep up.

In Sudbury, Poulin soon began to see business possibilities. He had a lot of free time, and opened his own studio, calling it Classic Perceptions Classiques. He was his own agent, increasing his list of contacts, and creating his own advertisements. He would go on to exhibit his work at the Laurentian University (Bell) Museum and Art Centre, as well as La Galleria, the Galerie Réo Gauthier, and at Stephanie's Collection. The portrait painter was getting one contract after another: his drawing *Balloon Man* was included as part of an exhibition in the United States and reproduced in the two hundred thousand copies of the Berol Company pencil manufacturer's catalogue. Another piece, *Ti-Jean Batisse* (figure 29), was added to the collection of the Maison de la francophonie in Quebec, and toured twenty Canadian cities and twelve European countries. This Saint John the Baptist was no longer a submissive child clad in the symbolic sheepskin. Rather, he stands firm, with

moderne. Est-il à l'image de celui qui le peint? Poulin veut briser le moule habituel du Canadien français.

Il reproduira 300 exemplaires de *Bleuets* (figure 30). Un livre de recettes produit en 1983 par la Chambre de commerce de Sudbury utilise cette toile comme page couverture. En 2012, il sera réimprimé à l'occasion de la tournée de la FISA (Fédération internationale des sociétés d'aviron) à Sudbury. En 2017, la page couverture du site

29. *Ti-Jean Batisse,* 1979
Graphite. 68,58 x 43,18 cm

29. *Ti-Jean Batisse,* 1979
Graphite. 68.58 x 43.18 cm

a modern air of bravado. Is the subject a reflection of the painter? Poulin definitely sought to upend the traditional image of the French Canadian.

Poulin also printed a run of *Blueberries* (figure 30) – three hundred were printed and sold – and a recipe book published in 1983 by the Sudbury Chamber of Commerce used the painting on its cover. In 2012, *Blueberries* was reprinted once more for the World Rowing Federation tour in Sudbury. In 2017, the home page of Poulin's website highlighted this

30. *Bleuets,* 1979
Huile sur toile. 38,10 x 60,96 cm

30. *Blueberries,* 1979
Oil on canvas. 38.10 x 60.96 cm

Internet de Bernard Aimé Poulin utilisait cette magnifique peinture. On voit comment la saveur est au rendez-vous. Plaisir de l'œil, des papilles, de la nature, de la légèreté du rire enfantin. Poulin s'amuse.

Et il trouvera le temps d'offrir un cours en éducation spéciale à l'Université Laurentienne. OUF!

Bernard se dit en mode « relaxe » selon ses propres termes. Le Nord de l'Ontario lui fait du bien. Sa créativité s'en ressent.

En effet, pour s'amuser, il produit une série de bandes dessinées, *MiG*. Elle apparaîtra dans le *Northern Life*, hebdomadaire de Sudbury. Il en tirera un livre en 1980. On pourrait dire que c'est la « revanche de MiG ».

Depuis ses débuts, Bernard a photographié plusieurs enfants. Il les a repris dans ses peintures de nombreuses fois. On se souvient : il a enseigné treize ans à des enfants ayant des problèmes émotifs. Pendant ce temps, il développait sa propre vue sur l'éducation dans un domaine que le monde de l'éducation considérait comme secondaire. Bernard est resté marqué par le peu de considération des milieux éducatifs à cet égard. Il y avait là matière à partir en croisade!

Avec MiG, il se paie un moment de joie. Ce personnage dialogue avec un enfant. Celui-ci lui pose des questions; il lui fait part de situations qui le tracassent à l'école et à la maison. MiG se joue des travers des adultes. Il ridiculise leurs vues sur les enfants. À un camarade qui déteste les adultes fumeurs, il dira : « Moi aussi, j'ai de la difficulté à les supporter. Mon créateur fume. Je renverse son café pour le distraire. » Puis, le « créateur »,

31. *MiG*, 1979
Plume et encre. 22 x 13 cm

31. *MiG*, 1979
Pen and ink. 22 x 13 cm

iconic painting. The image is a sensual pleasure for the eye and the tastebuds, capturing the flavour of nature and the lightness of a child's laughter. Poulin was having fun.

Though he was busy, Poulin even found the time to teach a class in special education at Laurentian University.

In his own words, Bernard claimed to be in relaxation mode. Northern Ontario was good for him, his creativity flourishing.

For his own enjoyment, he produced a series of cartoons entitled "MiG," which was published in the weekly *Northern Life* newspaper. A book featuring the character followed in 1980, a sort of Revenge of MiG.

From the very beginning, Poulin took photographs of children, using them as the basis for paintings. For thirteen years, he had taught emotionally troubled children, and had developed his own perception of education in a field often considered marginal. Bernard was disturbed by the lack of consideration given to special-education services, and the matter was fodder for a crusade.

Through "MiG," the artist allowed himself moments of joy. MiG is a character who speaks to children. He asks questions, and shares home or school situations that worry him. He derides the idiosyncrasies of adults, mocking their views on children. To a child who hates adults who smoke, he says: *Me too. I can't stand them. My creator smokes, so to distract him I spill his coffee.* Of course, that creator, Bernard, shared MiG's views on education. His educational values remained important, and his art was a way to convey that. For instance, he created a poster for the Association of Big Brothers.

Bernard, fait passer ses vues sur l'éducation. Ses valeurs éducatives restent importantes et son art les transporte. Par exemple, il produira une affiche pour les Grands Frères.

Dans tous ces contextes, l'enfant mis en scène atteint le cœur des gens.

« Ma plus grande tristesse : d'avoir à accepter, comme une vérité ces cinquante dernières années, que depuis l'âge de onze ans, la plupart des enfants ont perdu leur curiosité innée de questionner, d'examiner, d'expérimenter, de découvrir et de créer. » (Bernard Aimé Poulin, 1996)

Tout au long de sa carrière, Bernard Aimé Poulin prend le temps d'écrire des notes. Comme en témoigne sa biographie complète, ses idées trouvent leur chemin vers des publications, dont certaines connaissent une large diffusion. Elles portent sur l'enfant (oui, toujours), la créativité, l'art et à l'occasion sur la politique, bien sûr!

J'ai glané quelques-uns de ses commentaires.

« Un livre, c'est comme une toile sur laquelle on veut imposer sa vision, ses perceptions, ses commentaires visuels. Un livre, c'est comme une toile parce qu'il est sensuel. On le touche; il nous touche. On y creuse ses vérités. On le caresse. Un livre, c'est un signe tangible, physique, sensuel de l'existence de l'extraordinaire, de l'inconnu imbibé de mystères à défricher. Un livre, malgré sa dernière page, n'a pas de fin. » (Allocution lors de la remise de sa bibliothèque au Collège Boréal, Sudbury, 2014.)

« Si j'étais pour la moitié aussi curieux que mon chat Laurier, je serais des milliers de fois plus créatif. » (2002)

« Quand nous prenons conscience de l'immensité infinie de la créativité de l'enfant, on ne peut que pleurer la perte de cet état. » (1991)

In all of these contexts, the child–subject touches people's hearts.

"My greatest sadness is having had to accept as a fact of life that, by the age of eleven, most children have lost their innate curiosity to question, scrutinize, to experiment, to find pleasure in discovery." (Bernard Aimé Poulin, 1996)

Throughout his career, Poulin has taken extensive notes. As his complete biography shows, many of his ideas have gone on to be published, and some have been distributed widely. They deal with children (always), with creativity, art, and occasionally politics, of course.

A few of his comments are reproduced here.

"A book is like a painting into which we insert our vision, our perceptions, our visual comments. And a book is like a painting, because it is sensual. We touch it. It touches us. We search deeply into it to find truth. We caress it. A book is a tangible, physical, yet sensual symbol of the existence of the extraordinary, of the unknown immersed in mysteries to unravel. A book, despite its last page, has no ending..." (Excerpt from the artist's address upon the presentation of his professional library in 2014 to Collège Boréal in Sudbury.)

32. *Le journal*, 2013
Huile sur toile. 40,64 x 50,80 cm

32. *The Newspaper*, 2013
Oil on canvas. 40.64 x 50.80 cm

« *On peut difficilement atteindre l'excellence quand la société définit et dicte des standards fondés à partir de dictats perfectionnistes – ou pire, qu'elle évalue à partir du plus bas dénominateur commun de la lentille du politiquement correct.* » (*Beyond Discouragement – Creativity*, 2010; traduction de l'auteur)

Il faudra un autre livre pour rendre compte, à leur juste mesure, des écrits de Poulin. La première citation ci-dessus, sur le livre, me semble bien rendue par la toile *Le journal* (figure 32).

"If I was half as curious as my cat Laurier, I would be a thousand times more creative." (2002)

"When the infinite vastness of a child's creativity is discovered, we can only weep at the loss of childhood." (1991)

"It is difficult to reach excellence when society defines and imposes standards based on perfectionistic dictates – or worse, evaluates it using the lowest common denominator vision of a politically correct lens." (From *Beyond Discouragement – Creativity*, 2010)

It will take another book to do justice to Poulin's writings. Poulin's first quote, on books, seems well represented, in my opinion, by the painting *The Newspaper* (figure 32).

Sudbury, foyer de culture

Poulin se trouve au cœur de l'effervescence culturelle de Sudbury. Pour le centenaire de Sudbury (1983), il produira seize peintures. Tout se tient. Ses engagements s'inscrivent toujours autour des enfants. À cette époque, le Centre des jeunes Civitas Christi, mis sur pied par le père Albert Régimbal, s.j., inaugure son nouvel édifice (l'ancien Hôpital Saint-Joseph). Poulin signera ce portrait du fondateur avec, à l'avant-plan, deux enfants. Il met l'adulte au service des enfants; c'est ce que semble nous dire ce tableau. Parmi les réussites de Sudbury figure Prise de parole, maison d'édition fondée en 1973. Poulin sera heureux de produire des pages couvertures à ses meilleurs livres.

La gamme d'applications de Poulin s'étend sur plusieurs médias. Le mélange des genres lui assure une présence commerciale

Sudbury, a cultural hub

Poulin found himself at the heart of Sudbury's cultural effervescence. For the city's centennial in 1983, he produced sixteen paintings, many of which revolved around his commitment to children. At that time, the Civitas Christi youth centre, created by

Father Albert Régimbal, SJ, inaugurated their new building (the former Saint Joseph's Hospital). Poulin created the portrait of the founder with two children in the foreground. The adult is at the service of those children, the painting seems to say.

Among the many successful cultural ventures in Sudbury is Prise de parole, a publishing house founded in 1973. Poulin is pleased to have produced cover illustrations for some of its best books. Poulin was creating art in a wide range of media. The mix of different genres afforded

33. *Le révérend père Albert Régimbal*, 1981
Graphite. 60,96 x 45,72 cm

33. *Reverend Father Albert Régimbald*, 1981
Graphite. 60.96 x 45.72 cm

si essentielle à tout artiste. Il exposera dans les galeries, mais la moitié de ses réalisations ne seront pas en vente, étant des commandes. On le verra dans le prochain chapitre : portraits d'enfants, natures mortes, paysages urbains, champêtres et marins, sculptures et pièces murales. Il s'intéresse à tous ces sujets et maîtrise tous les genres.

Poulin est avant tout un artiste à commission. On lui commande des portraits. Bientôt, le nombre de ces achats l'empêche d'exposer autant. Il doit se retirer et produire. Ce faisant, l'aspect public de l'artiste s'estompe. Vivre de son art demande une polyvalence que Bernard a sentie très tôt. Le choix est clair : utiliser son temps à réaliser des expositions ou vendre ses toiles commandées ? Ainsi, dira l'artiste : « *Je suis peu connu du public, mais j'ai vendu beaucoup de toiles. Je peins l'émotion et les gens l'apprécient.* »

Pour le reste, il sait s'entourer : dès 1982, il engagera des agents aux Bermudes et en Europe. Pour la vie commerciale de son œuvre, il utilise le même atout : l'émotion. Il demande de l'aide et il offre une situation gagnante pour tous. Ainsi, il rejoint de nombreuses personnes de qualité : collaborateurs, mécènes, politiciens, institutions dévouées aux arts, à la culture.

him a presence essential to the commercial success of any artist. Although he had exhibited in some galleries, half of his works, as commissions, were not for sale. The next chapter touches on many of these – portraits of children, still lifes, urban landscapes, seascapes, sculptures, and murals. He was interested in all these subjects and mastered every genre.

First and foremost, Poulin was a commission painter. People began requesting portraits from him and soon the number of these commissions was such that he had little time to exhibit. His public presence faded. Early on, Bernard was aware of the balancing act required. The choice was clear: he could use his time to mount exhibitions, or sell the paintings he was hired to produce. "*I am not well known by the public,*" he noted, "*but I have sold many paintings. I paint emotions, and people like that.*"

He also surrounded himself with the right people. By 1982, he had agents in Bermuda and Europe. For the commercial side of his work, he used the same asset: emotion. He asked for support and in return offered a winning solution for everyone involved, which allowed him to make contact with people in high places: collaborators, patrons, politicians, and institutions devoted to art and culture.

34. *La vie paysanne* (couverture de livre), 1982
Graphite et crayon de cire. 25,4 x 19,05 cm

34. *La vie paysanne* (book cover illustration), 1982
Graphite and coloured pencil. 25.4 x 19.05 cm

Du portrait au film

Plus je consulte la documentation que m'a laissée Bernard, plus je réfléchis à la meilleure façon de rendre compte de cette vie complexe qu'est la sienne, plus je m'imagine que seul un film pourrait traduire la richesse qu'il m'est donné d'apprécier. « *Ton sujet bouge trop pour que tu puisses le peindre sur le vif.* » Lui qui a de l'expérience avec des sujets turbulents (enfants et politiciens!), c'est ce qu'il me dirait, me semble-t-il.

Je m'imagine un film sur Bernard Aimé Poulin, comme on en réalisa un sur Rodin (2017), par exemple. Je pense à celui-ci parce qu'il faudrait un acteur de la trempe de Vincent Linden pour rendre la profondeur, l'énergie, la persévérance de Poulin.

On peut penser à *Caravaggio (Michelangelo da),* film qui nous interroge : qui est-il cet être à l'autre bout du pinceau ? Les doigts qui le tiennent – devant l'impatience et l'angoisse de la toile blanche – trempent la pointe dans la gouache pour se donner de l'aplomb, de l'élan et un point d'entrée; le torse qui jauge son sujet – certains films montrent le peintre adopter la posture du sujet qu'il observe; le bras en attente – la crampe; et l'œil – cet organe qui intègre tous les senti-ments : douleur, indécision, angoisse, impatience, le vague à l'âme, la paix, la joie.

Ma course dans ce dédale d'une vie me fait penser à un film à sensation. On peut évoquer « *ce que mes yeux ont vu* » où une étudiante cherche à percer le mystère de l'identité réelle de certains personnages chez Watteau. Nous le verrons mieux plus loin : Poulin réalise des portraits. Il m'arrive de bien connaître ses sujets comme personnalités publiques, mais le résultat que nous offre Bernard soulève deux questions. Qui sont-ils vraiment ? Et qui est cet être au bout du pinceau pour saisir ce qu'il nous montre ?

Plusieurs autres films ont porté sur les peintres et la peinture. *Renoir* (2013), *Van Gogh* (1991),

From portrait to film

The more I delved into the archived information Bernard provided, the more I reflected on the best way to recount the complex life he has lived, and the more I thought that only a movie could translate the richness I saw. "*Your subject moves too much for you to ask it to pose for a painting.*" Poulin's experience with turbulent subjects (children and politicians!) would probably lead him to agree.

I imagined a film on the life of Bernard Aimé Poulin, similar to the one made about Rodin in 2017, for instance. It would take an actor of Vincent Linden's calibre to convey Poulin's depth, energy, and perseverance.

A film like *Caravaggio (Michelangelo da)* comes to mind, raising complex questions: who is the man at the other end of this paintbrush? And those fingers, impatient at the blank canvas, slowly dipping the tip of a brush into the paint to steady themselves, gather momentum, find a way in; the artist's torso is bent back as he assesses his subject (some films show the painter taking the same posture as his subject); the arm is poised, extended, perhaps cramped; and the eye, that organ that absorbs all feelings – pain, indecision, angst, impatience, melancholy, peace, joy… Does it cramp too?

The race through Poulin's maze of a life put me in mind of a thriller. What about *Ce que mes yeux ont vu,* in which a student tries to solve the mystery of the real identity of certain subjects of Watteau's?

As we will see shortly, Poulin created portaits. And although his public subjects are often well known, Bernard's offerings raise two questions: Who are these people, really? And who is the person holding the paintbrush who captures what he is showing us?

There are many other films on painters and painting. *Renoir* (2013), *Van Gogh* (1991), *Paradise Found* (on Gauguin, 2003), the exceptional *Girl with a Pearl Earring* (on Vermeer, 2004), *Camille*

Paradise Found (sur Gauguin, 2003), l'exceptionnel *La jeune fille à la perle* (sur Vermeer, 2004), *Camille Claudel* (1987). D'autres encore, dont le *Cézanne et moi* (2016), ont montré l'artiste et l'auteur Émile Zola (1954). À me les remémorer, je me rends compte qu'ils m'ont souvent captivé parce que j'aimais la peinture. Ces films réussissent en général à planter un décor qui les rend acceptables. À vrai dire, les cinéastes ont peine à trouver un acteur qui peut rendre avec une certaine vraisemblance le peintre assis sur son tabouret devant un trépied. (Notons que Bernard ne peint jamais assis.)

Pourquoi cette difficulté cinématographique ? Sûrement, une des raisons se trouve dans les conditions qui sont celles de l'artiste : l'attente, la patience, le petit mouvement, le regard fixé. Cela ne fait pas facilement de belles images ! Surtout quand on n'ose pas montrer la toile du « faux peintre » ! On ne s'étonnera pas que plusieurs de ces films reçoivent une critique défavorable des spectateurs.

Je me rends compte que le film ne rend pas nécessairement mieux que l'écriture la complexité du peintre en action ni la profondeur de sa quête. Que ce soit sur pellicule ou par un écrit, le questionnement, la recherche, l'inquiétude et l'inachèvement chez l'artiste demeurent entiers. Au mieux, on pourra en tirer un portrait quelque peu ressemblant. Je me sens entraîné dans le dilemme du peintre.

Comment l'écriture peut-elle rendre ces complexités visuelles ? En y renonçant sûrement. Mais aussi, comme le peintre, en y mouillant sa plume !

Ainsi, se termine la première phase du peintre professionnel. Il a 38 ans.

Claudel (1987). *Cézanne et moi* (2016), on the artist and the author Émile Zola. When I think of these films, I realize that I find them captivating because I love paintings. These movies are generally able to come up with the right set and setting, which makes them visually acceptable, but at times filmmakers have trouble choosing actors with the ability to credibly represent the painter on his stool in front of an easel. (As an aside, Bernard never paints sitting down.)

Why is the casting so hard to get right? One of the reasons must lie in the performance of an artist's real, everyday life: the waiting, the patience, the tiny movements, the unwavering gaze – it doesn't exactly make for exciting cinema, especially when no one would dare show the movie canvas, the fake painting. It's no surprise that few of these films get favourable ratings from either spectators or critics.

I realize that a celluloid rendition would not necessarily convey the complexity of a painter in action or the depth of his quest any better than a written portrait. But whether in film or in words, the questioning, the search, the concerns, the incompleteness remain the same. At best, we might end up with a portrait that approximates at least some likeness. I'm beginning to sympathize with the painter's dilemma.

How can writing translate visual complexity? Maybe by not trying. Or else, like the painter, by actually daring to.

And thus, the first phase in the life of a professional painter came to a close. Poulin was thirty-eight years old.

Ottawa, la capitale, m'appelle!

Retour dans la capitale nationale. Même raison : son épouse, Marie, prend un poste à Radio-Canada. Douze ans plus tard, en 1995, elle sera nommée au Sénat pour représenter le Nord de l'Ontario.

Bernard Aimé Poulin renoue avec ses vieilles connaissances et élargit son réseau social. Une chose peut surprendre : Bernard n'a jamais fait de différence entre le jardinier, le menuisier et les grands de ce monde. On le verra fréquenter les uns et les autres avec la même facilité. Il m'a confié à un moment : « *J'ai appris cela de mon père. Nous sommes tous égaux. Lui avait les mains salies de la graisse des moteurs diesel qu'il réparait. Moi, c'est l'huile de mes peintures. Aucune différence.* »

Les étapes et le processus du portrait

Depuis tout ce temps que je tente de dessiner le portrait d'un portraitiste! S'il nous expliquait comment il s'y prend pour faire un portrait? Quelles en sont les étapes? Y a-t-il un processus obligé?

J'avais trouvé particulièrement réussi le portrait officiel du très honorable Roméo LeBlanc. Sa personnalité attachante y était sûrement pour quelque chose dans mon appréciation. Monsieur LeBlanc fut ministre libéral au Parlement du Canada. Nommé au Sénat en 1984 et président de cette Chambre en 1993, il devient gouverneur général du Canada en 1995, poste qu'il doit quitter en 1999 pour des raisons de santé. Poulin explique :

« *Je commence par imaginer un contexte. Je dois créer une atmosphère. La lumière devient le premier élément à choisir. Le choix s'harmonise dans mon esprit avec le caractère de la personne que je vais peindre. Dans ce cas-ci, elle doit être naturelle. Le très honorable Roméo LeBlanc ne recherchait pas la lumière des projecteurs. Il est ce qu'on voit : un homme de réflexion et d'humour. Je dois tenir*

The lure of the capital

When they moved back to Ottawa, it was for the same reason as before: Marie had accepted an executive position at Radio-Canada. (Twelve years later, in 1995, she would be appointed to the Senate of Canada, representing Northern Ontario.)

As for Bernard, he renewed old acquaintances and broadened his social network. It may come as something of a surprise that Bernard has never discriminated between gardeners, carpenters, and the elite, spending time with one or the other with the same ease. He once said to me, "*We're all equal. My father had diesel oil on his hands. Mine are also soiled, with a different oil. It's no different.*"

The process of a portrait

I have been attempting to draw a portrait of a portraitist. What if he explained how he goes about creating a portrait? What are the different steps? Is there a particular process required?

I consider Poulin's portrait of the Honourable Roméo LeBlanc particularly impressive. My appreciation of the portrait most assuredly has something to do with the depth of personality of the subject. LeBlanc was a Liberal minister in the Parliament of Canada. He was appointed to the Senate in 1984, and as Speaker of the House in 1993. He became Governor General in 1995, a position he was forced to leave in 1999 for health reasons.

Poulin explains his workflow for this portrait: "*I always begin by imagining a context. I have to create an ambiance. Lighting is always the first element I consider. The choice blends in my mind with the temperament of the person I'm about to paint. In this case, the lighting had to be natural. The Right Honourable Roméo LeBlanc was not one to seek the spotlight. He was as we see him: a thoughtful man, a man of humour. I have to take into account the reason behind the portrait's existence*

compte du contexte final aussi : un portrait officiel d'un représentant de la Chambre du Sénat.

Donc, je prends contact chez lui à Shédiac dans son humble résidence. Il m'offre une bière, nous parlons de Shédiac et de ses gens. Il appréhendait ce moment. Plusieurs fois, il avait évité que l'on peigne son portrait. L'atmosphère intime le détend. Soudain, il s'appuie contre le comptoir de la salle à manger. Voilà! J'avais ma pose. Je pouvais imaginer ce que la peinture deviendrait.

La pose assise s'imposa. Il s'ensuivra plusieurs prises de photos de cet être attachant, sans prétention aucune.

35. *Pose (1)*, 2002
Photo (1). SBS – Portrait LeBlanc

34. *First pose*, 2002
Photo (1). SBS – LeBlanc portrait

Le portrait porte sur un sujet. Toute mon attention se dirige vers deux conditions qui se présentent à ce moment précis. D'abord, quelle est la façon de communiquer de monsieur LeBlanc, verbalement et avec son corps? Quelles sont ses habitudes naturelles de se déplacer, d'offrir sa présence à l'autre? Que révèle son visage quand il est détendu? Ses yeux, ses joues, son menton, l'inclination de sa tête? Que dit-il en silence,

too – in this instance, its status as the official portrait of the highest representative in the Upper House.

"I met with the Honourable Roméo Leblanc at his residence in Shediac. He offered me a beer, and we talked about his region and its people. He was apprehensive at first. In the past, he had avoided having his portrait painted. The intimacy eventually relaxed him.

"Suddenly, he leaned against the counter in the dining room. There it was! I had the pose I wanted. I could now imagine what the painting would become.

"A seated pose was the best option. Several photos were taken of this endearing individual, who was without pretension. A portrait is always about the subject. And so, all my attention was focused on two main conditions imposing themselves at that moment. First, how does Roméo LeBlanc communicate, verbally and through body language? How does he naturally move around, how does he present himself to others? What does his face reveal when he is relaxed? His eyes, his cheeks, his chin, the slight inclination of his head? What does he

36. *Pose (2)*, 2002
Photo (2). SBS – Portrait LeBlanc

36. *Second pose*, 2002
Photo (2). SBS – LeBlanc portrait

en plein contact avec son émotion, à lui? Pour moi, ce qui ressortait, c'était ses qualités de simplicité, de compassion, de douceur. Mais, il fallait lui donner le temps et l'espace de manifester les siennes.

Puis, mon attention s'est portée sur la finalité du projet: un portrait officiel. Présenter un sujet en tant que représentant officiel d'une institution, tout en conservant les qualités de l'individu, représente tout un défi.

De là commence le travail d'articulation des diverses peintures. Le but consiste à développer un environnement propice au déploiement naturel de la pose en tenant compte des deux conditions intégrées: naturelle et officielle. Comment retenir la personne derrière le personnage? Je vous parle du sujet, mais il y a la personne à l'autre bout du pinceau. Pendant ces

say when silent, when he is in complete control of his emotions? In the end, what stood out for me were his simplicity, his compassion, his kindness. But he needed time and space before he could manifest his qualities.

"The second element upon which I focused my attention was the ultimate purpose of the project: an official portrait. The goal was to show a subject as an official representative of an institution while at the same time preserving the qualities of that person's individuality. That is the most exacting of challenges in the creation of an official portrait.

"It was then I began to develop the various elements discussed above. The aim was to create an environment conducive to the naturalness of a pose while taking into account those two conditions: the natural and

37. *Pose finale – avec notes,* 2002
Photo (3). SBS – Portrait LeBlanc

37. *Final pose with notes,* 2002
Photo (3). SBS – LeBlanc portrait

contacts nombreux, j'absorbe en moi le contexte, la pose, le sujet (devenu une vraie personne). S'installe alors dans mon esprit le contexte psychologique. L'honorable LeBlanc était à la fois fier de son rôle de parlementaire et de ses origines acadiennes du Nouveau-Brunswick. J'ai décidé d'intégrer ces deux aspects de sa vie. Deux « scènes » réunies grâce à ce personnage : le Parlement et une scène du Nouveau-Brunswick. L'artiste crée un réel autre!

Les deux environnements étant choisis, le peintre se met à l'œuvre. Au moment de procéder aux séances de pose, monsieur LeBlanc n'était pas au meilleur de sa forme. J'ai choisi de ne pas le déranger davantage pour créer le portrait. J'avais pris suffisamment de photos et j'avais bien intégré

the official. How do I hold on to the person behind the public persona? Though I am painting a subject, there is the person at the end of my paintbrush. In my mind, the psychological context must stake its claim on my thought processes. The Right Honourable LeBlanc was proud of both his role as a parliamentarian and his Acadian New Brunswick roots. I decided to integrate these two aspects of his life into the portrait. Two environments were brought together as one because of this unique personality – the Parliament, and New Brunswick. In essence, the artist creates a new reality.

With the two thematic environments chosen, I got to work. When we had the portrait sitting, LeBlanc was not feeling well. I chose not to disturb him again with the actual creation process. With enough reference photos

38. *Parlement*, 2002
Photo. SBS – Portrait LeBlanc

38. *Parliament*, 2002
Photo. SBS – LeBlanc portrait

39. *Phare – Shédiac*, 2002
Photo

39. *Lighthouse, Shédiac*, 2002
Photo

la tournure artistique que je voulais donner à ce portrait. De retour à Ottawa, je demandai à un ami, Paddy Dussault, de poser pour moi. J'obtins la robe officielle du leader du Sénat et nous avons doublé la pose voulue dans mon studio. L'artiste passe dans un autre monde. L'extérieur soutient la représentation intériorisée, en quelque sorte.

L'honorable Roméo LeBlanc, position assise au Sénat, vitraux givrés des fenêtres gothiques en arrière-plan, un phare des Maritimes dans l'une d'elles. L'homme officiel conserve ses racines et son allure naturelle. Je reviens à mes premiers mots sur le contexte extérieur: lumière naturelle. La lumière naturelle extérieure du vitrail rejoint cette lumière

and an overall solid composition in mind, it was time to get back to it. Back in Ottawa, a neighbour, Paddy Dussault, posed for me. Having obtained the official robe of the Speaker of the Senate, we replicated the required seated position in my studio. The artist crosses into another realm. The exterior exists to support the internalized representation, in a way.

"In the end, the Honourable Roméo LeBlanc, Speaker of the Senate, is shown seated, with the frosted stained glass of the gothic Parliament-building windows in the background, and a lighthouse visible through one of them. The official man thus preserves his roots and his individuality. To come back to what I said at the beginning regarding natural light: the frosted glass reflects

40. *Modèle au studio : Paddy Dussault*, 2002
Photo pose. SBS – Portrait LeBlanc

40. *Model in the studio: Paddy Dussault*, 2002
Photo. SBS – LeBlanc portrait

intérieure de l'âme de monsieur LeBlanc. J'offre à voir deux phares! »

Éclairante cette présentation des étapes du portrait! Elle touche les aspects techniques du processus suivi par Bernard Aimé Poulin. Elle laisse poindre quelques éléments du talent du peintre aussi. Mais le mystère reste entier pour moi. Il y a un moment où le talent l'emporte sur la maîtrise technique, j'en ai la certitude et ma recherche de réponses demeure insatisfaite. Où est la signification du portrait comme art? L'inachevé dans l'art m'interpelle : il y a un mystère que je peine à saisir.

the inner light of LeBlanc's soul. There are therefore two sources of light to behold."

This overview of the various stages of painting the portrait is revealing, touching on the technical aspects of Bernard Aimé Poulin's process. It also reveals elements of the painter's talent. But the mystery remains whole for me. There is a point at which talent takes over technical mastery, I'm certain of that, and my search for answers remains unsatiated. What is the meaning of the portrait as an art form? What remains incomplete in art beckons: there is a mystery I struggle to understand.

Au plan technique, la qualité du portrait relève de la ressemblance du tableau avec le sujet peint. Soit. Mais la qualité artistique se situe dans la vraisemblance. Dans ce qui paraît vrai et non dans ce qui est réel. Que recèle cette distinction sémantique ? Elle importe pour la suite de notre message.

Technically, the quality of a portrait refers to its resemblance to the subject painted. But artistic quality hovers between likeness and likelihood.

In Latin, there are two expressions that refer to identity, *idem*, the same, and *ipse*, the self. The first denotes what is similar: for instance, two glasses of water are identical. The second evokes difference: a man and a woman, for example. In essence, *ipse* means similar but not identical (men and women as humans). *Idem*, sameness, encompasses only the features of resemblance. It may be worth noting that some fossilized, radical identities deny any possibility of unifying non-identical similarities.

41. *Esquisse – Tête,* 2002
Photo. SBS – Portrait LeBlanc

41. *Sketch – Head,* 2002
Photo. SBS – LeBlanc portrait

42. *Esquisse – Mains,* 2002
Photo. SBS – Portrait LeBlanc

42. *Sketch – Hands,* 2002
Photo. SBS – LeBlanc portrait

Le latin recourrait à deux termes pour parler de l'identité. L'*idem* ou le même et l'*ipse* le soi-même. Le premier réfère à un semblable. (Par exemple, ces deux verres d'eau sont identiques. Ou, au contraire, on peut dire : il y a une différence entre un homme et une femme.) Le second terme, l'*ipse*, couvre des références similaires non identiques (hommes et femmes sont des humains). L'*idem* ou la « mêmeté » se referme sur des caractéristiques de

From a technical perspective, the unretouched photo is what looks most like what is real (the *idem*).

All this to say that a portrait conveys other qualities; the similarities that are not identical, or *ipse*. Likeness calls on the judgment of the observer as to what is acceptable. The beauty we associate with resemblance has less to do with what we see than with the fact of seeing. Because we're human, seeing for us is a matter of making subtle links beyond

ressemblances seulement. Notons au passage ces identités sclérosées, radicales, aux plans social et politique, qui nient tous rapprochements possibles entre des similaires non identiques. D'un point de vue technique, la photo non retouchée se rapproche le plus de la ressemblance au réel, l'*idem*.

Le portrait évoque d'autres qualités, celles de caractéristiques de similitudes non identiques ou l'*ipse*. La vraisemblance fait appel à mon jugement d'acceptabilité en tant qu'observateur. La beauté que nous consentons à la vraisemblance ne tient pas tant à ce que nous regardons qu'au fait de voir. Parce que nous sommes humains, nous voyons par liens subtils au-delà des objets concrets. Le portrait passe à un ordre métaphorique où le lien relève d'une culture plus générale. Un clin d'œil entre le peintre et le spectateur s'est échangé : « Toi et moi, nous observons des différences et nous les reconnaissons parce qu'elles nous enrichissent. » C'est le non-dit du triangle sujet-peintre-spectateur.

Le « soi-même » de Roméo LeBlanc attire chez moi le commentaire « c'est tellement lui ! ». Implicitement, je reconnais à ce portrait les deux exigences auxquelles le peintre s'est soumis : l'homme officiel et son caractère naturel réunis.

Le portrait fait appel à mes sens et à mes émotions : qu'est-ce que je ressens ? Cette sollicitation passe à un second niveau d'attention délibérée par la réflexion suivante : qu'est-ce que je comprends à la vue de ce tableau ? Je ressens une grande tendresse vis-à-vis de monsieur LeBlanc. Je comprends qu'il incarne le respect des institutions qu'il a voulu desservir tout en conservant ses attaches identitaires. J'aurais beau étaler chacune des caractéristiques de ce personnage (rôle, âge, provenance, caractère, métier) que je ne capterais pas la spécificité artistique que Poulin lui donne. Il s'agit de l'unicité du personnage rendue par l'art.

concrete objects. And a portrait is metaphorical in that it depends upon a more general cultural knowledge. The painter winks at the viewer: *You and I see the differences and we each recognize their value because they make us richer.* The process of recognition hinges on the unspoken, the delicious conspiracy within the subject–painter–spectator triangle.

Seeing Roméo LeBlanc's painted self, I can't help but think, it's really him! I implicitly recognize in the portrait the two absolutes the painter has imposed upon himself: the official man and his natural temperament, united.

Portraits touch our senses and emotions: what am I feeling? This address moves deliberately to a second level of attention: what do I understand when I look at this painting? I feel a great tenderness for LeBlanc. I understand that he embodies the respect for the institutions he wanted to serve while preserving the roots of his identity. Yet as much as I could record every feature of this public figure – his role, his age, place of birth, temperament, his career – still I wouldn't be able to capture the artistic specificity that Poulin conferred, of the whole person conveyed through art.

43. *Le très honorable Roméo LeBlanc*, 2002
Président du Sénat du Canada
Huile sur toile. 152,4 x 114,3 cm

43. *The Right Honourable Roméo LeBlanc*, 2002
Speaker of the Senate of Canada
Oil on canvas. 152.4 x 114.3 cm

44. *Dévoilement du portrait officiel*, 2002
Photo

44. *Unveiling of the official portrait*, 2002
Photo

Visitons brièvement deux autres portraits.

Le très honorable Jean Chrétien, un sujet naturel

Poulin a peint un portrait officiel du très honorable Jean Chrétien. Celui-ci fait partie de la collection royale (Palais de Windsor). J'ai préféré présenter le polyptyque (cinq volets) du même personnage, plus intimiste. Personne n'a été indifférent à Jean Chrétien, premier ministre du Canada (1993–2003). Les positions à son égard furent clairement partagées. Monsieur Chrétien appelle l'engagement; c'est sa façon de gouverner. La controverse, l'opposition, la divergence apportent aussi l'inverse : l'adhésion, l'accord et la résolution de problèmes. Il nourrissait amplement l'image d'un bagarreur ne craignant pas l'empoignade et le brasse-camarade. On ne peut pas rester à la barre d'un pays pendant dix ans si on est une figure terne! Chrétien fut tout le contraire.

Poulin a saisi dans ces cinq volets des facettes profondes de la personnalité de Jean Chrétien.

Two other portraits warrant a brief discussion.

The Right Honourable Jean Chrétien: A natural subject

Poulin painted an official portrait of the Right Honourable Jean Chrétien, which is part of the royal collection at Windsor Castle, but here I want instead to present a more intimate polyptych of Chrétien. No one has ever been indifferent to Jean Chrétien, who was prime minister of Canada from 1993 to 2003. Opinions were clearly divided: Chrétien called for engagement; that was his leadership style. Controversy, opposition, and divergence also brought their opposites: respect, agreement, and problem solving.

Chrétien readily fed the image of himself as a scrapper who never shied away from an altercation or a scuffle.

No one can govern a country for ten years if he or she is dull, and Chrétien was anything but.

In this five-part work, Poulin was able to capture profound aspects of the Jean Chrétien's personality.

45. *L'orateur,* 2004
Huile sur toile. 91,4 x 182,9 cm

45. *The Orator,* 2004
Oil on canvas. 91.4 x 182.9 cm

De gauche à droite, on reconnaît:
1. l'humoriste un peu cabotin;
2. le pédagogue aux arguments maîtrisés;
3. l'homme résolu au poing fermé;
4. le démocrate à la main tendue espérant l'adhésion;
5. l'homme décidé à l'index pointé du commandant.

From left to right, the panels show:
1. Chrétien the comedian, the joker;
2. Chrétien the pedagogue, with his carefully considered arguments;
3. Chrétien the determined man, his fist closed;
4. Chrétien the democrat, his hand held out calling for allegiance; and
5. Chrétien, resolute, pointing his index finger like a commander.

Chrétien, il me semble, avait un faciès plastique. Je ne sais pourquoi je pense à André-Philippe Gagnon? Une mobilité expressive du visage qui devance l'intention et l'émotion. L'humoriste révèle son jeu par ses traits au demi-sourire taquin. Le pédagogue observe son auditoire et s'attend à ce qu'on l'écoute. L'homme résolu entre en lui-même chercher sa force. Le démocrate s'en remet au sort du scrutin. Le commandant regarde à sa gauche, côté cour, sortie vers l'action. Ce sont là mes hypothèses!

Le lieutenant général Roméo Dallaire, traduire l'horreur

La vie est pure joie à celui qui conserve la simplicité de l'enfant. Celui-ci sait créer le monde. Poulin l'a rendu maintes fois dans ses peintures. L'enfant qui veut cueillir une fleur, ou toucher des bulles de savon ou encore laisser s'envoler un cerf-volant. L'enfant crée le monde parce qu'il n'y a souvent aucune distance entre son corps et l'univers extérieur, entre son émotion et ce qui l'a fait naître.

D'où vient l'horreur du monde? Parce qu'elle existe aussi. En 1993, le lieutenant général Roméo Dallaire est envoyé comme commandant des Forces de la Mission d'assistance de l'Organisation des Nations Unies au Rwanda. Dans les 100 jours qui suivirent, près de 800 000 personnes furent tuées. Sans moyens suffisants, l'action de la mission s'avéra inefficace. Dallaire est revenu brisé, souffrant du trouble de stress post-traumatique. En 2003, il écrira au journal *Le Devoir*: « *Huit cent mille personnes sont mortes au printemps 1994, et personne n'a bougé. Deux mille neuf cents personnes ont disparu à Manhattan le 11 septembre 2001, et Bush a mobilisé le monde entier. Voyez-vous, j'ai du mal avec ça.* » Ce moment noir de l'Histoire de l'humanité fut à la fois largement partagé et peu reconnu. L'indifférence est le pire désengagement. On se souviendra toujours du 11 septembre, mais

Chrétien seemed to have a malleable face. I don't know why but it makes me think of André-Philippe Gagnon. There is a flexibility in his facial expressions that precedes intent and emotion. The comedian shows his hand through his features and a teasing smile. The pedagogue watches his audience and expects them to listen. The determined man seeks his strength from within. The democrat accepts the will of the people. The commander looks to and seeks out the road to action. This is my reading!

Lieutenant General Roméo Dallaire: Depicting the horror

Life is pure joy to anyone who maintains the simplicity of a child. The world is his to create. Poulin has conveyed this sentiment many times in his paintings: the child who leans to pick a flower, who reaches up to touch bubbles, or who lets out a kite. Children create the world because there is no distance between their body and the universe, between their emotion and what caused that emotion.

Where does horror come from? For it too exist. In 1993, Lieutenant-General Roméo Dallaire was sent to be the Force Commander of the United Nations Assistance Mission to Rwanda. During the one hundred days that followed, nearly eight hundred thousand people were killed. Without adequate means to deal with what was unfolding, the mission's actions were ineffective. Dallaire came back broken, suffering from post-traumatic stress disorder. In 2003, he wrote in the newspaper *Le Devoir*, "Eight hundred thousand people died during the spring of 1994, and no one budged. Two thousand nine hundred people disappeared in Manhattan on September 11, 2001, and Bush mobilized the entire world. You see, I have a problem with that."

That dark moment in the history of humanity was both widely disseminated and little known. Indifference is the worst sort of disengagement.

qui connaît le nom des principaux acteurs et les événements qui sévirent au Rwanda en 1994 ? Dallaire écrira un livre en 2003 dont le titre résume tout. *J'ai serré la main du diable : la faillite de l'humanité au Rwanda*. Poulin a produit une plaque en 2008 dont les mots résument tout. « Le silence de ceux qui sont libres est le terrorisme le plus effrayant pour ceux qui ne le sont pas. » Cette plaque marque explicitement une phase plus tardive chez l'artiste (2008–2018) devant le pessimisme et le nihilisme des temps barbares de notre ère, dont la première annonce se situe en 1976 avec *Retour des vétérans du Vietnam* (figure 48).

We will always remember 9/11, but who knows the names of the main figures or the events in the Rwanda of 1994?

Dallaire went on to write a book whose title speaks for itself: *Shake hands with the Devil. The Failure of Humanity in Rwanda* (2003).

In 2008, Bernard Aimé Poulin created a digital print, the statement of which gets to the heart of the matter: "The silence of those who are free is the terrorist most feared by those who are not." This piece marks a later phase for the artist, between 2008 and 2018, focusing on the pessimism and nihilism of contemporary barbaric times, the first hint of which was revealed in 1976 with Poulin's painting *Return of the Vietnam Vets* (figure 48).

46. *Rwanda, par-delà les fantômes*, 2016
Huile sur toile. 60,96 x 182,9 cm

46. *Rwanda, Beyond The Ghosts*, 2016
Oil on canvas. 60.96 x 182.9 cm

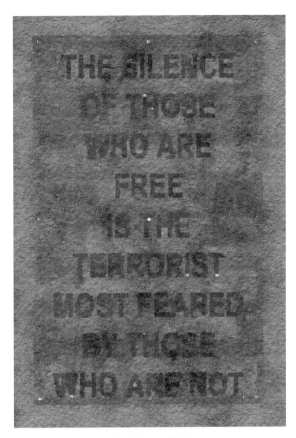

47. *Silence*, 2008
Création numérique. 43,18 x 27,94 cm

47. *Silence*, 2008
Digital composition. 43.18 x 27.94 cm

48. *Retour des vétérans du Vietnam*, 1976
Huile sur toile. 45,7 x 60,96 cm

48. *Return Of the Vietnam Vets*, 1976
Oil on canvas. 45.7 x 60.96 cm

Poulin a voulu immortaliser cet échec du Rwanda dans une fresque troublante. Il lui aura fallu cinq ans pour la réaliser (2011–2016). L'artiste prend conscience qu'il appartient à la communauté humaine et il rend compte, par son talent, d'une attitude, d'une position, d'une préoccupation qui touchent à la liberté, l'égalité et la solidarité, en quelque sorte.

J'ai tout de suite associé cette peinture à *L'inquiétante étrangeté* de Sigmund Freud, 1919. Si l'art est généralement reconnu pour représenter le beau, bien que très dérangeant, il serait incomplet sans son contraire, l'horreur et l'angoisse que l'humain peut produire.

De gauche à droite (figure 46), les yeux horrifiés, peinés, incrédules, en colère de jeunes Noirs, mêlés à des crânes, sont doublés au centre des divers profils d'un Dallaire vivant, comme observateur et acteur externe, les effets de ce carnage. À droite, une mitraillette au sol, deux personnes tournent le dos à cette scène que l'on cherche à oublier. Ou serait-ce que par-delà les fantômes, l'espoir est possible ?

L'angoisse que j'éprouve à l'observer tient au sujet représenté bien sûr, mais aussi, tout autant à mon incapacité de supporter que cette horreur puisse se répéter. Je ne veux pas m'habituer à ce qu'elle devienne familière. N'est-ce pas pourquoi Poulin l'a intitulé *Rwanda, par-delà les fantômes*, alors qu'en allemand, le titre du livre de Freud, *Das Unheimliche* peut signifier l'endroit des fantômes ? Son contraire, « *heimliche* » signifie : familier, aimable, intime.

Aujourd'hui encore, il y a des gens pour nier la Shoah. Dans la mouvance du Printemps arabe en 2011, le peuple syrien se soulève contre le régime tyrannique et corrompu. Au départ, une révolution légitime vire en une guerre civile qui dégénère sous l'emprise de l'État islamique (Daech). Que savons-nous de cette histoire ? Plus près de nous, que sait-on de la vente aux enchères d'esclaves en Libye, à l'automne 2017 ! ?

Poulin immortalized the failure in Rwanda with a troubling painting that took him five years to complete, from 2011 to 2016. The artist is aware that he belongs to the community of humankind, and uses his talent in the service of an attitude, a position, a concern about freedom, equality and solidarity.

I immediately associated this painting with Sigmund Freud's *The Uncanny* (1919). Art is generally recognized as representing what is beautiful, even a troubling beauty, and it would be incomplete without its opposite – the horror and anguish that humans inflict upon each other and the world.

From left to right (figure 46), the horrified, sorrowful, incredulous, angry young faces gleam from among skulls, and in the middle are various profiles of Dallaire, as an observer and outsider, living the effects of the carnage. To the right, a machine gun lies on the ground, and two people turn their backs on a scene everyone would like to forget. Perhaps beyond these ghosts hope is still possible.

The anguish I feel observing this work comes from the subject it represents, of course, but also because I cannot accept that such horror could or might be repeated. I don't want to get used to its familiarity. Poulin called the painting *Rwanda, Beyond the Ghosts*. The German title of Freud's book, *Das Unheimliche*, can be read as alluding to something unearthly. The opposite, *heimliche*, means familiar, amiable, intimate.

Still today there are people who deny the Shoah. At the height of the Arab Spring, in 2011, the Syrian people rose up against a tyrannical and corrupt regime, but what started as a legitimate revolution turned into a civil war that has degenerated under the control of Daesh (the Islamic State). What do we know of this story? What do we know about slaves being sold at auction in Libya in fall 2017?

La peinture n'est pas que paysages bucoliques. Elle ne peut pas demeurer neutre devant les horreurs du monde. Elle ne peut pas non plus lui tourner le dos (comme les deux personnages de *Rwanda, par-delà les fantômes*). Par plusieurs aspects, le monde connaît des ratés dont le gigantisme étonne. Il y a un non-sens dans l'histoire contemporaine : confiscation des richesses naturelles au profit des plus nantis (le coltan de la République démocratique du Congo, entre autres); dégradation écologique sans aucune mesure avec les possibilités de redressement (l'énergie verte n'est pourtant pas une utopie; c'est de la plus grande nécessité); migrations involontaires dues aux désertifications ou inondations; pandémies côtoyant des découvertes technico-médicales sans précédent réservées aux plus riches. Les grandes misères prennent racine dans notre façon de nous résigner aux plus petites. Avant la guerre, il y a les paradis fiscaux; les investissements publics utilisés à sauver les banques et les grandes entreprises de la faillite; les écoles et les hôpitaux carencés qui laissent les plus démunis dans la pauvreté; le refus de s'engager à promouvoir les énergies douces et renouvelables; les abus sexuels qui perpétuent l'inégalité entre les humains. La déshumanisation commence dans de petits gestes. L'habituation à ces aberrations devient le nouvel ordre du monde. Que fait l'art de ces réalités ?

L'art de la dénonciation existe. L'engagement ne fait pas de tous des artistes engagés. Sartre – ce n'est pas un modèle – fut un chantre de l'engagement littéraire. Camus lui préférait une approche plus humaniste. Il dénonça les goulags soviétiques comme on l'avait fait des camps nazis. Sartre choisit un engagement plus idéologique : il prit parti pour l'Union soviétique afin de ne pas nuire à la gauche française. À mon sens, il vient un moment où la dénonciation ou l'engagement font partie du mal qu'ils veulent enrayer. La révolte au nom d'une

Painting isn't just bucolic landscapes. It cannot remain neutral before the horrors of the world, nor can it turn its back, as the two individuals seem to be in *Rwanda, Beyond the Ghosts*. In so many ways, the world fails to a stunning degree. Contemporary history is absurd. We commandeer natural resources for the benefit of the wealthiest (coltan in the Democratic Republic of Congo, among others); the current environmental degradation is completely disproportionate to any possibility of redemption (green energy is not a utopia but an absolute necessity); we are seeing involuntary migrations due to deforestation and flooding; pandemics burst forth alongside unprecedented discoveries in medical technology, their benefits once again reserved for the wealthiest. The greatest hardships are rooted in the ways we have resigned ourselves to the smallest ones. Before wars, there are tax havens; there are public funds used to save banks and big corporations from bankruptcy; ill-equipped schools and hospitals abandon the underpriviledged to poverty; there is a refusal to commit to renewable energy; and sexual abuse perpetuates inequality between humans. Dehumanization begins with small gestures. Get used to these aberrations and they become a new world order.

How does art deal with these realities? There is art as denunciation, although social engagement does not turn all artists into activists. Sartre, who was not necessarily one to emulate, was a figurehead for activist literature. Camus preferred a more humanistic approach. He denounced the Soviet gulags just as the Nazi camps were denounced. Sartre chose ideological involvement: he sided with the Soviet Union in order to support the French Left. In my opinion, there comes a point at which denunciation and engagement can become part of the evil they are trying to eradicate. Revolt in the name of an ideology often becomes corrupt. But revolt in the name of higher values saves us from barbarity.

idéologie se corrompt d'elle-même. La révolte au nom de valeurs supérieures nous sauve de la barbarie.

Poulin constate ce réel. Sa peinture constitue une résistance en soi. Elle nous rappelle l'autre face de nous-mêmes sans didactisme ni dogmatisme. Elle dit : je ne peux ni ne veux me réconcilier avec la face laide du monde. Poulin est engagé à l'art avant tout. Il voit une lueur d'espoir malgré tout dans l'humanité. À l'instar du personnage Dallaire qui dit : « Je sais que Dieu existe parce qu'au Rwanda, j'ai serré la main du diable. Je l'ai vu, je l'ai senti et je l'ai touché. Je sais que le diable existe et donc je sais qu'il y a un dieu. »

Je me souviens combien ma tendance est forte dans une galerie d'art de détourner les yeux des peintures montrant l'horreur humaine. La plus traumatisante étant *Saturne dévorant l'un de ses enfants* de Goya au Musée du Prado à Madrid. Le déni de cette part de moi-même n'est rien d'autre que le refus de reconnaître l'aspect traumatisant de la réalité. Nous sommes tous hantés par les fantômes dans les garde-robes de nos enfances. Plus largement, l'humanité porte aussi le lourd fardeau des horreurs non reconnues. Nous sommes devenus étrangers à notre corps, à nos émotions et notre esprit perd de sa clarté et lucidité ; on pourrait dire de sa simplicité ou de l'innocence de son enfance.

Poulin is aware of this reality. His painting is a form of resistance in and of itself, reminding us of another side of ourselves without moralizing or indoctrination. I cannot and will not make peace with the ugly side of the world, his work says. Poulin is committed to art first and foremost, and he sees a glimmer of hope in humanity in spite of everything, like Dallaire, who writes, "I know that God exists because in Rwanda I shook hands with the devil. I have seen him, I have smelled him and I have touched him. I know the devil exists and therefore I know that there is a God."

How strong the urge to look away, in an art gallery, from paintings that show huan horror. The most disturbing for me was *Saturn Devouring his Son* by Goya at the Prado Museum in Madrid. My denial of a part of myself is nothing more than the refusal to acknowledge the traumatic side of reality. We are all haunted by the ghosts in the bedroom closets of our childhood. On a broader scale, humanity also bears the heavy burden of its unacknowledged horrors. We have become alien to our bodies and our emotions, and our mind is losing its clarity and lucidity ; its candor, the innocence of our childhood.

Chapitre 5
Maturité, thèmes et coups de cœur

J'ai pris plaisir, dans les prochaines sections, à commenter quelques aspects de l'œuvre de Bernard Aimé Poulin, l'artiste accompli (1983–2017).

Autoportrait, page couverture

« Toute notre félicité et notre misère dépendent de la seule qualité de l'objet auquel nous sommes attachés par amour. »

Spinoza :
Traité de la réforme et de l'entendement

Le moment est venu de présenter la page couverture de ce livre. L'autoportrait évoque des émotions plus légères. Quelqu'un aurait écrit : « Tout tableau est un autoportrait. » Je crois en comprendre que tout artiste laisse du sien sur la toile. Que tout questionnement, toute recherche, toute inquiétude, tout inachèvement (les quatre points de vue que nous menons de front dans ce livre) viennent de l'intérieur de l'artiste. Rien d'étonnant! Mais aussi, se trouve là tout le mystère de l'artiste devant sa toile vide.

Chapter 5
Maturity, Themes and Favourites

The following sections offer comments on various aspects of a period of the work of Bernard Aimé Poulin as an accomplished, mature artist, between 1983 and 2017.

Self-portrait (cover)

"All our bliss or misery depends wholly on the quality of the object to which we are attached through love."

Spinoza,
Treatise on the Emendation of the Intellect

The self-portrait featured on this book's cover is lighter than some of the portraits discussed in the preceding chapter. Someone once said that all paintings are self-portraits, which I take to mean that all artists leave a part of themselves on the canvas. All questioning, research, apprehension, and incompleteness (the four organizing principles of this book) come from within the artist, which is no surprise, of course. But therein also lies the mystery of the artist before a blank canvas.

Je me suis demandé d'où venait l'intérêt pour l'autoportrait. Comment réaliser un autoportrait avant l'invention du miroir, que l'on situe au XIe siècle, ou de la photographie par Nicéphore Niépce (1765–1833) qui fixe la première fois la lumière sur une pellicule ? On en retrouve des exemples avant cette date dans des enluminures, insérées parmi d'autres personnages ; elles deviennent un genre de signature ! Tous les grands peintres ont peint, au moins, un autoportrait. Van Gogh a dépassé la mesure : on en compterait 37 de son cru !

On peut les distinguer en deux camps au moins. Le portrait en buste ou en pied, d'allure officielle. La deuxième version porte sur l'artiste au travail comme dans celle-ci.

Where does the interest in self-portraiture lie? How was it possible to attempt a self-portrait before the invention of the mirror, around the eleventh century, or before photography (Nicéphore Niépce, 1765–1833, was the first to capture light on film)? Self-portraits predate these tools, in illuminated manuscripts, inserted among other figures, like a sort of signature. All great painters have painted at least one self-portrait. Van Gogh, with thirty-seven, was among the most prolific.

There are at least two types of self-portrait, the bust or the more official full-length portrait. This second version shows the artist at work, as is the case here.

49. *Autoportrait*, 2000
Huile sur toile. 76,2 x 60,96 cm

49. *Self-portrait*, 2000
Oil on canvas. 76.2 x 60.96 cm

L'exercice n'est pas différent du portrait. Si on se réfère à l'autoportrait littéraire dont nous avons fait mention en début de ce livre, il s'agit d'une recherche sur soi comme sujet. Dans le cas de Van Gogh, elle semble relever davantage de l'inquiétude profonde qui l'atteignait. Poulin reste discret dans le sien. Le visage est partiellement dans l'ombre. Le pinceau tenu par la main droite à hauteur du visage, l'autre main en tenant deux autres, on voit moins la personne que le peintre. Encore une discrétion de Poulin. D'ailleurs, bien que la partie gauche du visage soit bien en lumière, la luminosité de l'arrière-plan semble déplacer l'attention ailleurs sur une autre peinture. Contrairement à plusieurs portraits, son autoportrait, bien que de face, le montre observant un sujet à peindre qui semble être l'observateur que nous sommes. « *Vous me regardez à mon insu* », semble-t-il dire. « *Je vous vois me regardant, mais moi, je suis en train de peindre.* » Je me permets cette remarque : Bernard ne cherche pas à attirer l'attention sur lui : ici il est concentré sur le thème à peindre.

Bernard m'a corrigé sur une interprétation hâtive que j'avais exprimée au sujet de ce tableau. Il m'avait semblé naturel de penser que le peintre regarde un miroir pour réaliser son autoportrait comme l'ont fait la plupart des portraitistes. Il m'assure qu'il peignait un autre objet. Cette remarque me bouleverse. « *Serais-je en train de regarder un autoportrait de quelqu'un qui peint un autre personnage ?* » Autre pudeur de Poulin ? Celui qui accorde peu d'importance à sa personne. Ou mystification ?

Le grand producteur de toiles qui se laisse voir à condition qu'il soit à l'œuvre à peindre « autre chose ». J'ai d'ailleurs pensé à une troisième possibilité. Si cette peinture n'était pas un autoportrait ? Si ce portrait était l'œuvre d'un autre artiste peignant Poulin en train de peindre ? Ce que j'aurais aimé réaliser ce portrait !

« Le caractère fondamental et déterminant de l'amour s'assimile à une joie qu'accompagne

Self-portraiture is no different from making portraits of other subjects. Like the literary self-portrait mentioned at the beginning of this book, a visual self-portrait is based on research on the self as a subject. For Van Gogh, self-portraiture would seem to have been a reflection of his profound anxiety.

Poulin is discreet in his self-portrait. His face is partly in shadow. The paintbrush in his right hand is held at face level. The other hand holds other brushes. We see less of the person than we do the painter – discretion on Poulin's part. Even though the left part of his face is lit, the background lighting appears to lead the eye elsewhere, to another painting. Unlike many other portraits, although the subject is facing the viewer, Poulin's self-portrait shows him looking at a subject he is painting, which appears to be us, the observer. *You're watching me without my knowledge,* he seems to say, *I can see you watching me, but I'm painting.* Poulin is not trying to call attention to himself. Rather, he is concentrating on the subject he is painting.

Bernard corrected my hasty interpretation of this work. It seemed natural to think that he would have used a mirror to make this self-portrait, as would most often be the case, but Bernard assured me that he was actually painting another object. His statement is unsettling: Am I looking at the self-portrait of someone who is painting another person? Yet another instance of reticence from Poulin, who gives so little importance to his own person? Or is it a distraction?

The prolific painter only accepts recognition if he is seen painting something or someone else. There is a third possibility. What if this work isn't a self-portrait, what if this portrait is the work of another artist painting Poulin as he paints? How I would have loved to paint this portrait!

The fundamental, determining feature of love is the joy emanating from and due to an external cause, according to Spinoza. Bernard Aimé Poulin's joy lies in the act of painting. He recently told me,

l'idée d'une cause extérieure », selon Spinoza. La joie de Bernard Aimé Poulin se trouve dans le fait de peindre. Il me disait récemment : « *Je suis ma peinture.* » Tous les moments de la peinture : choisir des sujets ; les photographier ; préparer le canevas ; manier le pinceau et les couleurs ; choisir un cadre et une exposition ; échanger avec le public. Ce sont les causes extérieures de la joie que ressent Poulin. Exprimer son amour, ce qui n'est rien d'autre qu'être vraiment en vie, se manifeste par la peinture et son vaste contexte de réalisation. Ce travail est un mode de vie qui le rend heureux.

Je m'applique en fréquentant Bernard à cerner son intériorité et il me projette toujours vers l'extérieur. Il me parle avec volubilité de sa joie à réaliser un projet. Combien les riches rencontres que la vie lui propose le nourrissent ! Il exprime souvent sa reconnaissance. Si je tente le moindrement d'amener Bernard à commenter ses sentiments en prenant à témoin une œuvre, surtout s'il s'agit d'un enfant ou d'un être maltraité, une larme va apparaître et elle sera refoulée par une narration empressée teintée de colère. Bernard est un grand sensible qui redoute sa vulnérabilité.

Bernard Aimé Poulin et l'enfant

Certaines personnes déterminent très jeunes les buts qui guideront leur vie. Ces buts sont commandés par un « égo idéalisé », disent les spécialistes. Le jeune joueur de hockey qui se voit en Wayne Gretzky ou Maurice Richard. La ballerine en herbe devant le miroir. Cet autre enfant, microphone en main, imitant sa chanteuse préférée. L'adulte est porté à sourire. Soit par cynisme, soit pour le caractère puéril de ces scènes. Lui, il « sait » que les rêves meurent en nous ! Le terme « égo idéalisé » produit des images péjoratives. Chez la personne normale, cette projection en avant n'est que la réalisation d'un idéal. Certains diront : comment peut-on être autrement ? Il n'y a aucun mal à cette

"I am my painting." Every moment involved in painting – choosing the subject, taking photos, preparing the canvas, manipulating the paintbrush and the colours; choosing the frame and an exhibition, encountering the public – these are external causes of the joy Poulin feels. Expressing love, which is nothing more than being truly alive, is manifested by painting and the broad context involved in production. His work is a way of life that makes him happy.

When I'm with Bernard, I try to focus on his inner self, and he always deflects. He speaks freely of the joy he feels when he is working on a project, or how the fruitful encounters life has brought him sustain him. Often, he says he is grateful. If I attempt ever so slightly to bring Bernard to express his feelings about a specific painting, especially if it involves a child or someone who has been hard done by, his eyes fill with tears – though he quickly swallows his sadness, and instead gets angry. Bernard is highly sensitive, and he fears his own vulnerability.

Bernard Aimé Poulin and the child

Some people determine early on the goals that will guide their life. In psychoanalysis, these aspirations are said to be driven by the idealized ego. A young hockey player who sees himself as Wayne Gretzky or Maurice Richard. The budding ballerina in front of the mirror. A child who, microphone in hand, imitates his favourite singer. Adults tend to smile, either out of cynicism, or because of how childish these scenes seem. Adults supposedly know that dreams die inside of us. The term ego ideal has a pejorative ring to it. For a normal person, this projection into the future is simply the realization of an ideal. And how might it be otherwise, some might ask. Yet there is nothing wrong with submitting to

lancée. Au contraire. Le défi se posera en cours d'élaboration.

Pour atteindre son but, il faut intervenir sur la réalité telle qu'elle se présente. Il est curieux que le mot « présent » en français veuille dire « cadeau » et « le temps actuel ». Pour certains, le présent devient une étape dans la réalisation d'un futur. Ce que vous êtes n'est pas l'être actuel, mais celui à venir. Je ne crois pas trahir la personne de Bernard en disant qu'il a été, jeune, parmi ceux qui veulent accomplir. Il est tout aussi possible d'imaginer que le présent de son enfance ne lui donnait pas pleine satisfaction soit dans l'injustice, la médiocrité, le préjugé qu'il présentait. Si on disait que cette quête était aussi sa façon de vivre le présent pleinement dans l'un de ses aspects : le non-accompli. En un sens, pas l'être à venir, mais celui en devenir ! La présence de Bernard au réel tient aussi à (l'in)–quiétude. Il le nierait probablement si je le lui demandais, mais je n'ai aucun doute que l'émotion le transporterait. À fleur de peau ! On dit que le monde tranquille est mort. Bernard ne peut pas être quiet (calme, paisible, tranquille) devant la vie. Il doit aller la « brasser » !

Il y a une forme de purisme et de moralisme à porter un jugement sur celui qui a des buts ; celui qui y met une attention soutenue à les atteindre ; celui qui force, à la limite, ce qui est devant lui. C'est un peu comme si on lui reprochait de se contenter de ce qui est. Bernard a su maîtriser un art. Ce n'était pas sans efforts ni échecs. Le virtuose de la rondelle est payé six millions par année et nous tombons en pâmoison ! Pourtant, Bernard a su concilier la discordance déchirante entre la créativité et les impératifs du commerce. C'est là une grande maîtrise. Parce qu'il ne suivait pas le sentier des subventions, expositions, prix, on lui reprocherait sa réussite personnelle ? De toute évidence, l'art n'atteint pas la cote de l'exploit sportif.

such an impetus; quite the opposite. Challenges will present themselves as the process unfolds.

In order to reach a goal, it is necessary to intrude upon reality as it presents itself. In both English and French, the word "present" refers to a gift as well as meaning the current moment. For some, the present is one step in the process of fulfilling the future. What we are is not our current self, but the self we are becoming. I don't think I would be betraying Bernard if I said that he was very young when he decided what he wanted to accomplish in life.

It's also possible to imagine that the present of his childhood did not provide complete satisfaction, due to some injustice, mediocrity, or prejudice. What if we said that this quest was also his way of living the present fully in one of its components – incompleteness? Who we are is not only our current self, but the self we are becoming. In fact, Bernard's presence, and his relationship with reality, also involve serenity, and its opposite, anxiety. He would probably deny it if I asked him, but I have no doubt that he is transported by emotion. His feelings run high. They say that a quiet world is a dead world. Bernard Poulin cannot be quiet (calm, peaceful, tranquil). He has a need to shake things up.

There is something puritanical and moralistic about judging someone who has goals, who focuses his attention on attaining them, who pushes what is before him to the limit. As if there were something reprehensible in not being content to accept the status quo. Bernard Poulin has mastered an art form, which was not without effort and failure. Professional hockey players are paid six million dollars a year and we sit in awe! Bernard has been able to reconcile the striking dissonance between creativity and business, already no small feat. Should we hold his success against him because he didn't follow the standard path of grants, exhibitions, and awards? Obviously, the visual arts cannot possibly be prized as highly as sports.

Voyons comment se transposent en art le non-accompli et l'inquiétude chez un être particulier. De toute sa production, j'estime que celle qui s'adresse aux enfants est la plus philosophique. Celle qui est dirigée vers un message d'humanité : tendresse, émotion. Qu'y a-t-il derrière ce visage ? Bernard aurait-il saisi le détour de l'enseignement pour apprendre sa profondeur à lui ? Les enfants de ses peintures, ce n'est que ce message : moi, le peintre, je suis inquiété devant votre présence. Il y a quelque chose d'inachevé chez vous que j'aime et admire.

How are unfulfillment and apprehension transposed into art in a particular individual? Of all of Poulin's works, I believe those that deal with children are the most philosophical. They embody his message to humanity: tenderness, emotion. What hides behind that face? Perhaps that's why Bernard chose to teach, although it was a detour from painting – to discover his own inner depth. The children in his paintings represent a simple, clear statement: I, the painter, am moved by your presence. There is something incomplete about you that I love and admire.

50. *Les rêves d'une mère,* 1988
Huile sur toile. 35,5 x 45,7 cm

50. *A Mother's Dreams,* 1988
Oil on canvas. 35.5 x 45.7 cm

L'enfant et la santé

Poulin a eu des mots justes pour parler de la créativité de l'enfant, de ses émotions, de ses déplacements enjoués dans l'espace (sa liberté). Que dire devant la réalité accablante de la maladie, surtout celle de l'enfant ? Le silence respecte davantage ce moment qui touche nos cœurs. Plus juste encore, le regard du peintre accompagne mieux ces enfants que les mots.

The ailing child

Poulin uses precise words to speak of the creativity of children, their emotions, their playful movements in space, their freedom. What is there to say before the crushing reality of illness, however, and especially a sick child? In moments that touch us deeply, silence can be more respectful. And a painter's recognition is often more fitting than words.

51. *La mère et le sida*, 1987
Plume et encre. 30,48 x 22,9 cm

51. *A Mother and AIDS*, 1987
Pen and ink. 30.48 x 22.9 cm

52. *Rien qu'une autre belle journée*, 1985
Huile sur toile. 45,7 x 60,96 cm

52. *Just Another Nice Day*, 1985
Oil on canvas. 45.7 x 60.96 cm

L'enfant et la créativité

« L'enfant qui ne sent pas le besoin d'être motivé ne découvrira pas sa motivation par des encouragements. L'enfant motivé sera dérangé par les encouragements. Ceux-ci sont distractions à ce qui le motive. La meilleure façon de tuer la créativité passe par l'encouragement/découragement. On tente de motiver l'enfant qui n'en sent pas le besoin et on décourage celui qui ne l'est pas par des propos d'adultes moralisateurs ou culpabilisants. »

Ce sont là à peu près les mots que Bernard m'a confiés. L'enfant motivé, on oublie de l'écouter à l'intérieur de sa motivation. Ce silence ou absence d'attention amènera l'enfant à mettre en veilleuse son intuition naturelle. Nous avons tendance souvent à compenser en encourageant la performance de l'enfant plutôt que ses intérêts. Dans ces remarques, je me suis entendu à la patinoire crier des encouragements à cet enfant qui faisait simplement ce qu'il aimait.

Pour celui qui n'est pas motivé, c'est pire. Il reçoit les encouragements comme des prescriptions. Nos habitudes culturelles nous ont appris à hiérarchiser les habiletés, les goûts, les aspirations.

« Tu ne vas pas passer ta vie au théâtre, tout de même ! » On semble dire : « Sois motivé, mais selon mes choix de vie. »

Dans sa plus simple expression, la créativité c'est le pouvoir de sortir des sentiers battus, des habitudes. Innover, inventer, recourir à des schémas de découvertes. On peut lui appliquer trois grandes orientations :

1. créer quelque chose de nouveau ;
2. trouver des solutions originales ;
3. modifier ou transformer le monde.

La vie de Bernard ne fut que créativité : l'enfant refuse l'enseignement prescriptif ; l'adolescent apprend à vendre ses peintures ; le jeune adulte enseigne pour peindre ; le professionnel réconcilie

The creative child

"A child who doesn't feel the need to be motivated won't discover his motivation through encouragement. A self-motivated child will be bothered by encouragement, because it distracts him from what already motivates him. The best way to kill creativity is through this encouragement and discouragement. We try to motivate a child who doesn't feel the need to be motivated, and we discourage the one who isn't through moralizing or guilt-inducing adult remarks."

This basically summarizes Bernard's thoughts on the subject. We forget to listen within a motivated child's motivation, and our silence or lack of attention eventually leads the child to put aside his natural intuition. Then we compensate by encouraging the child's performance rather than his interests. In Poulin's words, I can hear myself at the skating rink cheering on a child who is simply doing what he loves.

For the child who's not motivated, it's even worse: he gets encouragement like it's a prescription. Our cultural habits have led us to establish a hierarchy of skills, tastes, and aspirations. *Surely you're not going to spend your life doing theatre!* Be motivated, we seem to say, but only by my own life choices.

At its most basic, creativity is the ability to step off the beaten path, to put aside habits, to innovate, invent, come back to representations of discovery. Creativity has three main possible directions:

1. creating something new;
2. finding innovative solutions;
3. modifying or transforming the world.

Poulin's life has been nothing but creativity: as a child, Bernard refused prescriptive teachings; as an adolescent, he learned to promote and sell his paintings; the young adult taught in order to paint; and the professional reconciled art and business. These three directions are embodied by Poulin's paintings of children.

art et commerce. Il rendra ces possibilités dans ses peintures d'enfants. Ceux-ci personnifieront chacune de ces trois orientations.

Donald Woods Winnicott, pédopsychiatre et psychanalyste britannique, disait que le monde de nos perceptions est lettre morte tant qu'il n'est pas animé par le regard. On lui aurait prêté à tort les propos suivants : on peut être aussi créatif en faisant cuire un œuf au plat que Schumann composant une sonate. Même sous le signe de l'humour, cette vue nous rappelle que la simplicité inspire la créativité. Plus profond, Freud fait de la créativité une question de pulsion, la pulsion de vie. On y reviendra parce que la créativité le tenaillait. Il y a un lien entre la pulsion créatrice et le fait de vivre. Est-ce que « ça » existe seulement ou est-ce que « ÇA » vit? La peinture comme art est un déni de l'état de mort. Peut-on aller aussi loin que dire : c'est une défense contre les idées dépressives de « mort intérieure »? J'ai le goût d'ajouter : si oui, tant mieux. C'est musique à mes oreilles; c'est contemplation à mes yeux! Winnicott définit ainsi la créativité : « Conserver tout au long de la vie une chose qui fait partie de l'expérience de la première enfance : la capacité de créer le monde » (*Conversations ordinaires*). Ci-dessous, nous avons épinglé quelques exemples. Il faudra éviter d'y voir un échantillon qui mène à une classification arbitraire et superficielle.

The British child psychologist and psychoanalyst Donald Woods Winnicott wrote that the world of our perceptions does not exist until it is brought to life by our gaze. His broad perspective of creativity has been likened to an exaggerated comparison: creativity is as present in frying an egg as in composing a sonata. Yet even tongue in cheek, this view of the world is a reminder that simplicity inspires creativity. For Freud, who goes deeper, creativity is a pulse, a life instinct. He was tormented by the creative; we will come back to this.

There is a connection between the creative drive and the very act of living. Does it simply exist or is it actually alive? Painting as an art form is a denial of death. Is it possible to go so far as to admit that it is a defence against depressive thoughts, against dying on the inside? If so, I'm tempted to add, so much the better! It's music to my ears; what a thing to contemplate.

In his book *Home is Where We Start From*, Winnicott defines creativity as the preservation throughout one's life of something that is part of the experience of early childhood – that is, the capacity to create the world.

A sample of works that reflect that continuity has been included below, though the selection is not meant to suggest any arbitrary or superficial classification.

53. *Le rêve d'une vie*, 1991
Crayon de cire. 30,48 x 17,8 cm

53. *Dream Of A Lifetime*, 1991
Wax crayon. 30.48 x 17.8 cm

54. *Les devoirs*, 1988
Crayon de cire. 25,4 x 28,1 cm

54. *Homework*, 1988
Wax crayon. 25.4 x 28.1 cm

55. *Joseph rêve*, 1986
Huile sur toile. 25,4 x 35,56 cm

55. *Joseph Dreams,* 1986
Oil on canvas. 25.4 x 35.56 cm

56. *Demain… une médaille*, 1988
Crayon de cire. 40,64 x 30,48 cm

56. *Tomorrow's Gold,* 1988
Wax crayon. 40.64 x 30.48 cm

57. *Métamorphose*, 1984
Graphite et crayon de cire. 45,72 x 35,56 cm

57. *Metamorphosis*, 1984
Graphite and wax crayon. 45.72 x 35.56 cm

L'enfant créatif est vivant chez Poulin. Cette volonté de ne pas être annihilé par la soumission. Elle s'exprime par la capacité de s'abandonner au sommeil; de transformer une couverture en un refuge; de flotter sur un ballon; de parler à un ourson. Le perçu animé par le regard (Winnicott). Nous commenterons la force du regard chez Poulin dans la section *L'enfant et ses émotions*. Celle du peintre et celle du sujet peint.

The creative child is alive in Poulin. There is a will to not submit, to not be annihilated, that is evident in his ability to give in to sleep, to turn a blanket into a shelter, to float along on a balloon, to speak to a teddy bear.

What is perceived is brought to life through the gaze, as Winnicott wrote. The later section on "The emotional child" includes further commentary on the strength of Poulin's gaze – that of the painter, and of the subject.

L'enfant et la contemplation

Il y a le peintre qui contemple l'enfant endormi. Il y a surtout les enfants qui contemplent une fleur, le mouvement de la main dans l'eau ou celui de la barque, leur propre reflet dans l'eau.

La présence de l'eau liée à la contemplation retient mon attention. L'eau source de vie: fertilité. L'eau purificatrice. L'eau épanche ma soif: présence

The contemplative child

A painter contemplates a sleeping child. Children contemplate a flower, the movement of a hand in water, or of a rowboat: that is contemplation.

The presence of water and its relationship to reflection caught my attention. Water is a source of life, of fertility, purification. It quenches thirst; it is a tangible presence. To go back to those initial

58. *Garçon en bleu dormant*, 1991
Crayon de cire. 20,32 x 40,64 cm

58. *Blue Boy Sleeping*, 1991
Wax crayon. 20.32 x 40.64 cm

à ce qui existe. Souvenons-nous des interrogations de départ; l'inquiétude et l'inachevé sont momentanément satisfaits par l'enfant et l'eau. L'enfant est cette eau qui atteint nos sens: curiosité, naïveté, pureté, mouvement. Plus loin, nous présenterons les thématiques de la nature, dont celle de paysages aquatiques. Une autre forme de présence à l'eau.

questions, apprehension and incompleteness are temporarily satisfied by a child in water. A child is water, touching our senses: curiosity, naivety, purity, movement. Other nature themes will come up shortly, including seascapes, another manifestation of the presence of water.

59. *La source*, 1986
Crayon de cire. 43,18 x 17,78 cm

59. *The Source*, 1986
Wax crayon. 43.18 x 17.78 cm

60. *À la dérive*, 1984
Graphite. 50,80 x 50,80 cm

60. *Drifting*, 1984
Graphite. 50.80 x 50.80 cm

61. *Dimanche après-midi*, 1984
Graphite. 20,32 x 30,48 cm

61. *Sunday Afternoon*, 1984
Graphite. 20.32 x 30.48 cm

L'enfant et ses émotions

« *L'enfant ne fait pas que rire ou pleurer. Toutes les émotions sont inscrites sur sa figure. Elles passent vite comme dans un film. Il revient à l'observateur de les capter dans l'éclair fugitif de ce moment si expressif.* » (Tiré de *On Life, Death and Nude painting,* 2015)

Poulin se démarque par cette qualité d'observateur. Elle est liée à son sens de la pédagogie. L'enfant libre exprime ses émotions. Que dit Google si vous recherchez « l'enfant et ses émotions » ? Réponse : « Apprendre à l'enfant comment maîtriser ses émotions. » Voilà une réponse qui fait sortir Bernard de ses gonds !

L'empreinte faciale des émotions est née des premiers contacts avec la mère : le sourire, la parole, la nourriture, la chaleur. L'empreinte laisse voir aussi l'inverse : la peur, l'abandon, la souffrance. Puis, il y a la gamme infinie entre ces deux extrêmes : la surprise, l'incrédulité, la convoitise, le mécontentement, l'irritation, le désœuvrement, la culpabilité, l'épuisement, le doute que la vie nous réserve. L'émotion donne naissance à la pensée. C'est elle qui mène à l'action aussi. L'enfant angoissé accuse des retards cognitifs. L'enfant carencé développera tardivement sa motricité. C'est documenté.

Nous le savons, Bernard fut professeur auprès d'enfants émotivement troublés. Il en fut grandement marqué. Mais peut-on dire aussi que sa personne entière le menait à observer les physionomies et l'a guidé vers ces enfants ? Peu importe le choix de son observation ; il apparaîtra clairement sur la physionomie peinte. Par exemple, l'enfant interloqué par votre question le laisse voir sur son visage (*Combien gros celui de 2 $?,* figure 62). Bernard aime capter l'attention de l'enfant : celle du jeune musicien, du lecteur, du botaniste. Il est attentif à la souffrance, au découragement tout autant qu'il saura saisir la curiosité, la liberté, la joie, l'innocence et l'application chez ceux-ci. Ces dernières qualités nous ramènent aux quatre points de vue

The emotional child

"*A child doesn't just laugh or cry. All emotions are written on his face. They go by quickly like in a movie. It is up to the observer to seize them in the brief flash of that expressive moment*" (from *On Life, Death and Nude Painting,* 2015).

Poulin stands out as a professional observer, which is tied to his sense of pedagogy. A free child is emotionally expressive. What does Google have to say about "a child and his emotions"? The first hits are about teaching children to control their emotions. Exactly the sort of answer that would make Bernard livid!

The imprinting of feelings on a person's face is a result of the first contact a child has with its mother: her smile, her words, food, warmth. The opposite is also true; early fear, abandonment, or suffering leave their mark. There is a whole range of feelings between these two extremes: surprise, disbelief, greed, discontent, irritation, idleness, guilt, exhaustion, the doubt that holds us back. Emotion leads to thought, as well as to action. An anxious child will show cognitive delays; it's been documented.

Bernard taught children who were struggling emotionally, and his work left an indelible mark on him. But can we also surmise that his entire being led him to observe people's demeanour, and that's what led him to these children? No matter what he chose to observe, Poulin's paintings have rendered the expression clearly. For instance, a child stunned by a question will display that astonishment on his face. (*How Big's a Two-Dollar Tree?,* figure 62). Poulin also loves to capture moments of concentration in children – the young musician, the reader, the botanist – and he is just as attentive to suffering and discouragement as he is to capturing curiosity, freedom, joy, and innocence. These latter qualities evoke once more the four points of view that have shaped this portrait of the artist Bernard Aimé Poulin: questioning and curiosity; research and knowledge; concern and emotion; and incompleteness, art, and life.

que nous avions voulu imprégner à ce portrait de l'artiste Bernard Aimé Poulin. Rappelons-les : 1. le questionnement ou la curiosité; 2. la recherche ou la connaissance; 3. l'inquiétude ou l'émotion; 4. l'inachèvement ou la vie en action.

Les quelques tableaux retenus ci-dessous les contiennent tous. On peut même ne pas voir la figure et imaginer l'émotion. L'enfant qui peint le plancher de dos n'a pas besoin de montrer son minois : *Créer le violet* (figure 66). L'adolescent attentif à ses achats non plus : *Après la baguette, les légumes* (figure 70).

The selected works below contain all of these. We don't even need to see the faces to imagine the emotions being expressed: the child painting the floor is looking away (*Creating Purple*, figure 66), nor can we see the face of the adolescent focused on the next item on his grocery list (*The Baguette... and Now, Vegetables*, figure 70).

62. *Combien gros celui de 2 $*, 1983
Graphite. 35,56 x 45,72 cm

62. *How Big's a Two-Dollar Tree?*, 1983
Graphite. 35.56 x 45.72 cm

63. *Martin Ducharme*, 1983
Crayon de cire. 35,56 x 45,72 cm

63. *Martin Ducharme*, 1983
Wax crayon. 35.56 x 45.72 cm

64. *Ça suffit!*, 1984
Graphite. 50,8 x 60,96 cm

64. *No More!,* 1984
Graphite. 50.8 x 60.96 cm

65. *Des contes passionnants…* 1983
Crayon de cire. 43,2 x 27,9 cm

65. *Exciting Tales…* 1983
Wax crayon. 43.2 x 27.9 cm

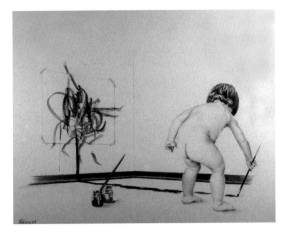

66. *Créer le violet*, 1984
Crayon de cire et graphite. 27,9 x 30,48 cm

66. *Making Purple*, 1984
Wax crayon and graphite. 27.9 x 30.48 cm

67. *L'arrosoir*, 1987
Graphite. 10,1 x 22,7 cm

67. *The Sprinkler*, 1987
Graphite. 10.1 x 22.7 cm

68. *Andrew, John et Emma Leslie*, 2000
Crayon de cire. 76,2 x 91,44 cm

68. *Andrew, John & Emma Leslie*, 2000
Wax crayon. 76.2 x 91.44 cm

69. *Les rêves flottants*, 2004
Composition numérique. 35,56 x 20,4 cm

69. *Floating Dreams*, 2004
Digital composition. 35.56 x 20.4 cm

70. *Après la baguette… les légumes*, 2004
Graphite. 12,7 x 22,9 cm

70. *The Baguette... and Now, Vegetables*, 2004
Graphite. 12.7 x 22.9 cm

71. *Le portraitiste*, 2004
Huile sur toile. 20,4 x 25,4 cm

71. *The Portrait Painter*, 2004
Oil on canvas. 20.4 x 25.4 cm

Voyages, paysages et dépaysement

Le voyageur se situe entre le sédentaire et le nomade. Il quitte sa tente pour en dresser une autre ailleurs. Le peintre porte son chevalet, mais c'est pour le poser dans cet ailleurs qu'il a recherché.

C'est aussi une personne ouverte à l'étranger et l'étrangeté. L'étranger dans l'autre et dans soi-même. Il répond à la première caractéristique que nous avons donnée à ce portrait : la curiosité. L'ouverture à soi et à l'autre.

Tout départ n'est pas que déracinement et fragmentation de soi. Je vais au-devant d'une rencontre, et souvent je m'y trouve déjà. De nouveaux attachements et de nouvelles cohérences se construisent. On dit « dépaysement » comme dans « quitter son pays », ses habitudes, le connu. Mais ne sommes-nous pas toujours dans le « paysement », l'appropriation d'un pays, soit à la recherche d'une reconnaissance ou d'une familiarité ? Il m'arrive d'être rallumé par mon inadaptation à « l'étrange » sans pour autant me sentir exilé. Certains goûtent la saveur de l'étrangeté comme la première fois que l'on déguste une papaye, une mangue. D'autres n'y voient que motifs à alimenter leur crainte viscérale, ancestrale, primitive même. Je dis cela en pensant à ces nombreux exemples de notre temps marqués au coin de l'intolérance, de la fermeture sur soi, de la stagnation.

Que l'on remonte ou descende dans l'histoire du peintre Poulin, les paysages abondent. À leur vue, le spectateur est tenté de s'exclamer : « Oh, ça l'air tellement vrai ! C'est la Venise que je connais ! » Ce qui se veut un compliment ressemble à une insulte. « Ai-je tant voyagé pour me faire dire que ce paysage est tellement vrai ? », peut demander l'artiste. Bien sûr, le spectateur veut suggérer que l'artiste a du talent, qu'il sait peindre, techniquement parlant. Si on allait plus loin dans les commentaires, que pourrions-nous dire d'autre ? « J'aime parce que cette scène

Travel, uprooting, and landscapes

The traveller falls somewhere between being sedentary and being a nomad. He leaves his tent only to put up another. The travelling painter carries an easel, but only because he needs to set it up in yet another elsewhere.

A traveller is also a someone who is open to meeting strangers, and to encountering strangeness – the stranger in the other, and within ourselves. He fits into the first principle that informs this portrait of an artist: curiosity, the openness to the self and to others.

Departure is not only uprooting, or a fragmentation of self. The traveller moves toward an encounter and, upon arrival, finds that he is there already. New relationships are formed, and new connections. The word uprooting connotes leaving your country, your habits, the familiar, but aren't we always uprooted, appropriating a space, whether we're looking for recognition or familiarity? I'm sometimes taken aback by my inability to adapt to what is strange without necessarily feeling like I'm in exile.

Some people love the taste of strangeness, like the first time you taste a papaya or a mango. Others find it disturbing; it feeds some visceral, ancestral, even primitive fear. I say this mindful too of the many current examples of intolerance, narrow-mindedness, and stagnation that plague us today.

Anywhere you look in the story of the painter Bernard Aimé Poulin, landscapes abound. Seeing them, the viewer is tempted to say, *Oh, it looks so real! That's the Venice I know.* What's meant as a compliment actually sounds more like an insult. *Have I travelled this far to be told this landscape looks so real*, the artist might ask. Of course, the viewer is trying to say that the artist has talent, that, technically speaking, he knows how to paint. Beyond such comments, what other connections might be possible?

évoque un moment de ma vie. » Une émotion, une anecdote personnelle viennent se coller à la pellicule. Le spectateur entre dans son univers à lui grâce à ce paysage. Il entreprend son propre voyage. « Le paysage que tu m'offres me fait apprécier ma vie. »

I like it because it reminds me of a moment in my life? An emotion or a personal anecdote becomes part of the film. The viewer enters his own world through the painter's landscape; he sets out on his own journey. *The landscape you've given me has made me appreciate my own life.*

72. *Les teintes dorées de Jérusalem*, 2000
Huile sur toile. 76,20 x 101,60 cm

72. *Golden Sunrise, Jerusalem*, 2000
Oil on canvas. 76.20 x 101.60 cm

Je me souviens (entre 1968–1972) avoir grimpé la montagne Sainte-Victoire, à Aix-en-Provence, vers les quatre heures du matin pour voir le soleil se lever sur la Méditerranée. Croissants et cafetière (petit réchaud Bleuet compris) dans mon havresac, pipe au bec, assis sur cette belle montagne, c'étaient le dé-paysement/paysement réunis. M'apparaissait une scène jamais vue auparavant en même temps que l'appropriation d'un territoire que je considérais comme mon pays à mes pieds. La lumière or du matin, l'eau de la Méditerranée au loin, la végétation typique de la Provence. *Les teintes dorées de Jérusalem* (figure 72) me ravive ce moment.

Ce n'est pas Jérusalem que je vois en premier lieu, c'est le point de vue. La lumière sur une ville en surplomb alors que la vallée reste dans la pénombre. Il en est ainsi pour la petite collection que je me suis payée dans la galerie qui suit. Je viens d'associer Jérusalem à un paysage de Provence. En réserve, de ma mémoire remontent plusieurs de ces points de vue sur une scène. Je pense à Cordoue et à l'Andalousie. Y a-t-il un lien avec la peinture *Les teintes dorées de Jérusalem*? (Cette région ne fut-elle pas peuplée par les musulmans et les Juifs?) Je voyage dans des paysages qui sont les miens, en partie, grâce à une peinture. La peinture élargit la signification intériorisée.

Quelle inspiration autre que «Mais ça ressemble donc à...» chacune des peintures de ma galerie évoque-t-elle? Quel est votre lien avec le Lac Nepahwin, le Fiesole, Gassin, Les Deux Magots, Le Pont Neuf et les autres? Quel est votre voyage intérieur? Quelle émotion le point de vue choisi par Poulin fait-il monter en vous? Y a-t-il quelque chose d'inachevé en vous qui veut naître en observant ces peintures? Se souvenir que le verbe «observer» est un verbe actif.

I remember, sometime between 1968 and 1972, climbing Sainte Victoire in Aix-en-Provence at around four in the morning to see the sun rise over the Mediterranean. With croissants and a coffee maker (including a little Bleuet gas stove) in my backpack, I sat and smoked a pipe on that beautiful mountain: rooting and uprooting at once. I was witnessing a moment I had never seen before, and at the same time I felt like I belonged to the land at my feet, which I considered my country. The golden light of morning, the Mediterranean in the distance, the typical vegetation of Provence. *Golden Sunrise, Jerusalem* (figure 72) made me relive that moment.

In the painting, it's not Jerusalem I see first, but rather the point of view. Light unfurls over the city as the surrounding valley remains in the dark. And so on, throughout the short selection of works that follow.

I've just associated Jerusalem to a landscape in Provence. Deep within my memories, any number of perspectives can be traced back to a particular scene. I'm thinking of Cordoba and Andalusia. Is there a connection with *Golden Sunrise, Jerusalem*? (Wasn't the region also populated by Muslims and Jews?) In part, thanks to a painting, I'm travelling through the landscapes of my life. Painting broadens the expanse of inner meanings.

Other than, *oh, this looks so much like…*, what do each of these paintings evoke? What is your connection with Lake Nepahwin, Fiesole, Gassin, Les Deux Magots, the Pont Neuf, and the other works included here? What is your own inner journey? What emotion does Poulin's point of view awaken? Is there something incomplete within you that wants to emerge as you contemplate these paintings? Remember that to observe, to see, is an active verb.

73. *Minuit sur le lac Nepahwin, Sudbury,* 2007
Huile sur toile. 45,72 x 60,96 cm

73. *Nepahwin on One, Sudbury,* 2007
Oil on canvas. 45.72 x 60.96 cm

74. *Fiesole, Toscane,* 2007
Huile sur toile. 35,6 x 45,72 cm

74. *Fiesole, Tuscany,* 2007
Oil on canvas. 35.6 x 45.72 cm

75. *Capucines et bananiers, Bermudes,* 2007
Huile sur toile. 45,72 x 60,96 cm

75. *Bananas & Nasturtiums, Bermuda,* 2007
Oil on canvas. 45.72 x 60.96 cm

76. *Vue sur mer du village d'Èze,* 1998
Huile sur toile. 20,32 x 50,8 cm

76. *View From the Heights Of Eze Village,* 1998
Oil on canvas. 20.32 x 50.8 cm

77. L'abbaye de Sénanque, Provence, 2007
Huile sur toile. 76,2 x 101,6 cm

77. Sénanque Abbey, Provence, 2007
Oil on canvas. 76.2 x 101.6 cm

78. *Les Deux Magots, Paris*, 2005
Huile sur toile. 45,72 x 60,96 cm

78. *Les Deux Magots, Paris*, 2005
Oil on canvas. 45.72 x 60.96 cm

79. *Pont Neuf, Paris*, 2005
Huile sur toile. 45,72 x 60,96 cm

79. *Pont Neuf, Paris*, 2005
Oil on canvas. 45.72 x 60.96 cm

80. *Le bouillon des artistes*, 2005
Huile sur toile. 60,96 x 72,60 cm

80. *Le bouillon des artistes*, 2005
Oil on canvas. 60.96 x 72.60 cm

81. *Fin d'après-midi, Jardin du Luxembourg*, 2005
Huile sur toile. 45,72 x 60,96 cm

81. *End of Day, Jardin du Luxembourg*, 2005
Oil on canvas. 45.72 x 60.96 cm

82. *Discussion sous Le pont des Arts, Paris*, 2004
Huile sur toile. 20,32 x 60,96 cm

82. *A Conversation Below the Pont des Arts, Paris*, 2004
Oil on canvas. 20.32 x 60.96 cm

83. *Les hydrangées de Saint-Tropez*, 2003
Huile sur toile. 91,5 x 121,95 cm

83. *Saint Tropez Hydrangea*, 2003
Oil on canvas. 91.5 x 121.95 cm

84. *Sur les hauteurs du Golan*, 2000
Huile sur toile. 45,72 x 60,96 cm

84. *Golan Heights*, 2000
Oil on canvas, 45.72 x 60.96 cm

85. *Forum à Arles, France,* 1998
Huile sur toile. 121,95 x 91,5 cm

85. *The Forum at Arles, France,* 1998
Oil on canvas. 121.95 x 91.5 cm

86. *Ponte Vecchio, Florence,* 1996
Huile sur toile. 40,6 x 60,96 cm

86. *Ponte Vecchio, Florence,* 1996
Oil on canvas. 40.6 x 60.96 cm

87. *La Vespa de Noël, les Bermudes,* 1995
Crayon de cire. 14 x 20,4 cm

87. *Christmas Vespa,* Bermuda, 1995
Wax crayon. 14 x 20.4 cm

88. *Le jardin du palais, Paris,* 2004
Huile sur toile. 20,4 x 121,95 cm

88. *The Palace Garden, Paris,* 2004
Oil on canvas. 20.4 x 121.95 cm

89. *Les jumeaux de Paris*, 2004,
Huile sur toile, 45,72 x 60,96 cm

89. *The Parisian Twins*, 2004,
Oil on canvas, 45.72 x 60.96cm

Chapitre 6
Portfolio par genres

Œuvres choisies

Je ne suis pas spécialiste de l'art. Je me suis refusé de commenter les peintures de Bernard Aimé Poulin comme le ferait un critique. Pour terminer ce portrait d'un artiste, j'ai préféré m'offrir un cadeau en demandant à Bernard de choisir parmi ses meilleures réalisations. J'ai dû réduire son premier choix. Il me proposait 3 000 tableaux, soit la presque entièreté de son œuvre! Bernard a le sens de l'humour très développé. Seules les contraintes de ce volume m'obligent à ne pas les inclure toutes.

En fait, derrière cette boutade, Bernard cachait son malaise à choisir une toile sur la base d'une « qualité artistique ». Bernard ne parle jamais de ses meilleures réalisations. Sa prédilection s'inspire par d'autres facteurs. Il commentera plutôt le contexte qui a fait naître l'œuvre; les gens qu'il a rencontrés; une motivation intérieure qui l'a soulevé, lui, l'artiste.

J'ai étudié l'ensemble de son œuvre. J'ai observé la progression dans la maîtrise d'un art. J'ai apprécié la continuité dans une œuvre qui débute à l'âge tendre de neuf ans. L'enfant est demeuré son inspiration première, il me semble. L'enfant en Bernard se découvre dans ceux qu'il peint.

Chapter 6
Works by Category

Collector's choice

I am not an art specialist, and I refuse to comment on Bernard Aimé Poulin's paintings as an art critic would. To conclude this portrait of an artist, I decided instead to compile, as a kind of gift to myself, a portfolio of more Poulin works.

When asked to choose his best artworks, Bernard suggested three thousand pieces – almost his entire body of work! (He has quite a sense of humour.) I obviously had to cut back, but only the constraints of this book have forced me to not include them all.

In fact, this joke hid Poulin's discomfort with choosing paintings based on artistic quality. Bernard never speaks of his best work; his preferences are inspired by other factors. Instead, he might comment on the context that led to the creation of a particular piece, people he has met, the inner motivation that moves him as an artist.

I have studied his oeuvre in its entirety. I have observed the progression of his mastery. I have had the opportunity to appreciate the continuity in his work, from the tender age of nine. The child–subject has remained his first inspiration. The child in Bernard discovers himself through the children he paints.

Il faut croire pour voir !

Avant de contempler le portfolio de Bernard, un dernier mot.

Selon un vieil adage : « Il faut voir pour croire. » J'ai été attiré par un article dans *Le Devoir*, section Science des 30 et 31 décembre 2017. « Le regard du Peintre », de Pauline Gravel, résume le travail d'un groupe neuroscientifique de l'Université de Lyon. Or, selon eux, c'est le contraire qui se produit : il faut croire pour voir. Pourquoi voyons-nous les visages en trois dimensions sur une peinture ? Comment le peintre arrive-t-il à créer un effet de profondeur ? Vous avez vu un peintre fermer un œil, pointer son pinceau à bout de bras vers une cible ? Pourquoi ?

Tout cela m'intrigue et il y aurait des raisons neuroscientifiques au talent et aux techniques du peintre. Il croit, c'est-à-dire qu'il intuitionne l'univers lumineux et il nous donne sa représentation de ce réel. Il y aurait même des peintures où les ombres sont physiquement impossibles. Pourtant, cette incohérence ne nous gêne pas comme spectateur parce que nos yeux croient ce qu'ils voient.

Les tableaux retenus

Poulin propose ses tableaux retenus selon des catégories qui invitent à revoir la notion de genres en peinture. André Félibien posa la hiérarchie des genres dans une préface des Conférences de l'Académie : « Celui qui fait parfaitement des paysages est au-dessus d'un autre qui ne fait que des fruits, des fleurs ou des coquilles. Celui qui peint des animaux vivants est plus estimable que ceux qui ne représentent que des choses mortes et sans mouvement ; et comme la figure de l'homme est le plus parfait ouvrage de Dieu sur la Terre, il est certain aussi que celui qui se rend l'imitateur de Dieu en peignant des figures humaines est beaucoup plus excellent que tous les autres… Un Peintre qui ne fait que des portraits,

Believing is seeing

One more thing, before we move on to Bernard Aimé Poulin's works.

Seeing is believing, the saying goes. An article in the science section of the December 30/31, 2017 edition of *Le Devoir* caught my eye. "Le regard du peintre" (The Painter's Gaze), written by Pauline Gravel, summarized the findings of a group of neuroscientists at the University of Lyon. According to them, that old adage has it backwards: something must be believed to be seen. Why do we see three-dimensional faces in a painting? How does a painter create the perception of depth? Have you ever seen a painter close one eye and hold out his paintbrush while studying a subject? Why?

I was intrigued: there are supposedly neuroscientific reasons for a painter's talent and technique. The painter believes – that is, he has an intuitive perception of a luminous world and he offers up his representation of that reality. There are even paintings in which the shadows depicted are physically impossible, but the paradox doesn't bother the viewer because the eye believes what it sees.

Selected works

The work presented in this chapter is grouped by category, a nod to the notion of genre in painting. André Félibien proposed a hierarchy of genres in a preface to the Conférences de l'Académie: "He who produces landscapes perfectly is above another who only paints fruit, flowers, or seashells. He who paints living animals is more worthy than those who only represent dead or motionless things. And as man is the most perfect work of God on earth, it is certain that he who becomes an imitator of God in painting the human figure is much more excellent than all others… A Painter who paints portraits still has not reached the highest perfection of Art, and cannot expect the honour due

n'a pas encore cette haute perfection de l'Art, et ne peut prétendre à l'honneur que reçoivent les plus savants. Il faut pour cela passer d'une seule figure à la représentation de plusieurs, ensemble; il faut traiter l'histoire et la fable; il faut représenter de grandes actions comme les historiens, ou des sujets agréables comme les Poètes; et montant encore plus haut, il faut par des compositions allégoriques, savoir couvrir sous le voile de la fable les vertus des grands hommes, et les mystères les plus relevés.» (Félibien, 1668)

Sous cette hiérarchie qui fait sourire de nos jours, se trouvent néanmoins tous les genres de peinture que Poulin a maîtrisés. Il y a peut-être un ordre normal d'accès à cette hiérarchie en termes de techniques: natures mortes (fruits, fleurs et coquilles), paysages (y compris des animaux), portraits (d'inconnus, enfants et adolescents), moments historiques et fables, portraits de gens qui ont façonné l'histoire, et au summum, compositions allégoriques (intégration des diverses catégories inférieures, rappelant ici l'importance des fresques gigantesques à l'époque de Félibien). Cet auteur a su ajouter des traits spécifiques à ces catégories. Peindre l'homme, c'est imiter Dieu! Passer au niveau allégorique, ce serait montrer les «vertus des grands hommes» et affleurer «les mystères les plus relevés».

Plus certainement, cette vision de la peinture trahit son siècle. La notion des trois ordres médiévaux n'est pas complètement oubliée: le clergé, la noblesse, et le tiers état ou ceux qui prient, ceux qui font la guerre et ceux qui travaillent. De nombreuses peintures de l'époque montraient ces trois catégories en séparant le haut, le milieu, le bas du tableau.

Je soulève ces quelques détails de l'histoire de la peinture pour souligner la force de l'inconscient en peinture. Cette ascendance lointaine de la culture se transmet sans pour autant devenir un carcan. Au contraire, au centre se trouvent toujours l'originalité, l'unicité de l'auteur.

to the most eminent. For that he must pass from representing a single figure to several together. History and myth must be depicted; great events must be represented, as by historians, or, like the Poets, pleasing subjects must be rendered. Climbing still higher, through allegorical compositions, he must have the skill to cover in the veil of myth the virtues of great men and the loftiest of mysteries" (1668).

Today this hierarchical representation seems quaint, but Poulin has nonetheless mastered each of the genres on Félibien's list. There may well be a natural progression through the hierarchy in terms of technique: still life (fruit, flowers, and seashells), landscapes (including animals), portraits (strangers, children, adolescents), historical moments and fables, and portraits of figures who have shaped history. The purported epitome is allegorical compositions, which integrate various inferior categories, and hearken back to the importance of gigantic frescoes in Félibien's time.

Félibien also mentioned the specific traits of each category: to render the human figure was to imitate the divine, while acceding to the level of allegory required painting the "virtues of great men" and "the loftiest of mysteries."

This vision of painting is unquestionably of its time. The notion of the three medieval orders had not been completely forgotten – the clergy, aristocracy, and the third estate, or, put another way, those who pray, those who wage war, and those who work. Many paintings from that period highlight these three categories by dividing paintings into upper, middle, and lower sections.

These details in art history underscore the power of the subconscious in painting. The transmission of a distant cultural ancestry hasn't necessarily become a social or psychological straightjacket. On the contrary, what remains is the concept of originality and the unique talent and skills of the artist.

Nous présentons ci-dessous plusieurs réalisations parmi les plus représentatives de l'œuvre de Bernard Aimé Poulin. Nous invitons les lecteurs et lectrices à bien apprécier les différences à l'intérieur d'une même catégorie.

Portraits

C'est par la ressemblance qu'on reconnaît le technicien chez le portraitiste; par la vraisemblance, l'artiste. (1996)

Seeing likeness in a portrait is to recognize the craftsman in the painter. Finding soul is to discover the artist in the craftsman. (1996)

Le genre où l'humain se fait « l'imitateur de Dieu », selon l'expression de Félibien (1668). Nous avons commenté amplement le portrait au chapitre 4. Dans cette galerie, Poulin nous offre sa gamme complète des techniques utilisées et des sujets choisis.

Le portrait, mieux que tout autre genre, soulève chez moi une réflexion existentielle. Est-ce « l'imitation de Dieu » qui m'inquiète? Ces différentes personnalités sur canevas me font imaginer les milliers de fiches, de notes, de croquis et, à la fin, les yeux fermés de l'artiste qui cherchent l'essence de ce qu'il veut voir naître. La naissance? Il y a une forme d'obsession à désirer voir sortir du néant, respirer, nous regarder à leur tour, des personnages uniques. Ce ne sont pas toujours des compositions archi-organisées, mais plutôt l'expression d'une relâche, d'un accouchement. Il y a, selon moi, un sentiment de plénitude comme à l'arrivée des dernières notes d'une sonate. Contempler le silence!

Si le portrait n'existe pas sans visage, il compte beaucoup sur la pose et le contexte. Je vous invite à porter attention à leur variété: l'enfant couché jambes relevées, la perruque et le pupitre, le triptyque intergénérationnel, mon ourson. Les détails ne s'annulent pas. Ils participent à un ensemble complexe.

Portraiture

This final chapter is a collection of representative pieces, artworks that define Bernard Aimé Poulin as a visual artist. The differences and range even within each particular category are appreciable, and impressive.

Portraiture is the genre through which humans try to imitate God, according to Félibien; chapter four covered the topic extensively. Here, Poulin displays a range of techniques and subject matter.

More than any other genre, portraiture compels existential reflection. Is it the imitation of God that makes me apprehensive?

The different personalities that emerge from the canvas also call to mind the thousands of files, notes, sketches and, in the end, the closed eyes of the artist who seeks the essence of what he wants to midwife into existence. Birth? There is something obsessive about wanting to help a unique, living, breathing being staring back at us emerge out of nothingness.

The creation of a portrait does not imply a hyper-organized mind on the part of the creator. Rather, there is a feeling of release, and, yes, of birthing. There is a fullness, or so it seems to me, as when the last few notes of a sonata finally fade. A contemplation of silence.

A portrait cannot exist without a face, but it does rely on pose and on context, of which there is an incredible variety in the works that follow: a child lying prone, feet in the air; the official wig, the desk; an intergenerational triptych; a teddy bear. The details don't cancel each other out; they come together to form a complex whole.

90. *Monsieur Paul Desmarais Sr*, 1998
Chancelier de l'Université Memorial de Terre-Neuve
Huile sur toile. 132,1 x 121,95 cm

90. *Paul Desmarais (Sr.)*, 1998
Chancellor of Memorial University of Newfoundland
Oil on canvas. 132.1 x 121.95 cm

91. *Médaillés d'or – Jeux d'Atlanta de 1996*, 1997
Huile sur toile. 101,6 x 76,2 cm

91. *Gold Medal Winners, 1996 Atlanta Games*, 1997
Oil on canvas. 101.6 x 76.2 cm

92. *Monsieur Yousuf Karsh*, 1993
Huile sur toile. 101,6 x 91,4 cm

92. *Yousuf Karsh*, 1993
Oil on canvas. 101.6 x 91.4 cm

93. *Madiba – (Monsieur Nelson Mandela)*, 2013
Huile sur toile. 101,6 x 152,4 cm

93. *Madiba (Nelson Mandela)*, 2013
Oil on canvas. 101.6 x 152.4 cm

94. *Madame Donna Speigel*, 1987
Huile sur toile. 101,6 x 50,9 cm

94. *Mrs. Donna Speigel*, 1987
Oil on canvas. 101.6 x 50.9 cm

95. *L'honorable Jennifer Smith,* 2002
Première ministre des Bermudes
Huile sur toile. 76,2 x 60,96 cm

95. *The Honourable Jennifer Smith,* 2002
Premier of Bermuda
Oil on canvas. 76.2 x 60.96 cm

96. *Le très honorable Jean Chrétien,* 2004
Premier ministre du Canada
Huile sur toile. 71,12 x 50,8 cm

96. *The Right Honourable Jean Chrétien,* 2004
Prime Minister of Canada
Oil on canvas. 71.12 x 50.8 cm

97. *Le très honorable Jean Chrétien*, 2005
Premier ministre du Canada
Huile sur toile. 101,6 x 76,2 cm

97. *The Right Honourable Jean Chrétien*, 2005
Prime Minister of Canada
Oil on canvas. 101.6 x 76.2 cm

98. *Le très honorable Jean Chrétien*, 2010
Premier ministre du Canada
Récipiendaire de l'Ordre du mérite (de SAR Elizabeth II)
Crayon de cire. 68,58 x 53,34 cm

98. *The Right Honourable Jean Chrétien*, 2010
Prime Minister of Canada
Recipient of the Order of Merit (from HRH Elizabeth II)
Wax crayon. 68.58 x 53.34 cm

99. *Madame Joan Simpson et Max*, 1998
Huile sur toile. 101,6 x 76,2 cm

99. *Mrs. Joan Simpson & Max*, 1998
Oil on canvas. 101.6 x 76.2 cm

100. *Madame Aline Chrétien*, 2014
Chancelière de l'Université Laurentienne
Huile sur toile. 121,92 x 91,44 cm

100. *Mrs. Aline Chrétien*, 2014
Chancellor of Laurentian University
Oil on canvas. 121.92 x 91.44 cm

101. *Les garçons Lotocky*, 1991
Crayon de cire. 60,96 x 76,2 cm

101. *The Lotocky Boys*, 1991
Wax crayon. 60.96 x 76.2 cm

102. *Les enfants Murray,* 1991
Crayon de cire. 60,96 x 76,2 cm

102. *The Murray Children,* 1991
Wax crayon. 60.96 x 76.2 cm

103. *Isis Sadeck,* 1993
Huile sur toile. 99,06 x 27,94 cm

103. *Isis Sadeck,* 1993
Oil on canvas. 99.06 x 27.94 cm

104. *William et Alex Fulton*, 2017
Huile sur toile. 91,44 x 121,92 cm

104. *William & Alex Fulton*, 2017
Oil on canvas. 91.44 x 121.92 cm

105. *Monsieur William Boyle,* 1997
Maire de Hamilton, Bermudes
Huile sur toile. 76,2 x 60,96 cm

105. *William Boyle,* 1997
Mayor of Hamilton, Bermuda
Oil on canvas. 76.2 x 60.96 cm

106. *Astrid*, 2011
Graphite. 15,24 x 33,02 cm

106. *Astrid*, 2011
Graphite. 15.24 x 33.02 cm

107. *L'honorable Ernie Eves*, 2010
Premier ministre de l'Ontario
Huile sur toile. 142,24 x 101,6 cm

107. *The Honourable Ernie Eves*, 2010
Premier of Ontario
Oil on canvas. 142.24 x 101.6 cm

108. *SAR William, duc de Cambridge*, 1986
Crayon de cire. 40,64 x 30,48 cm

108. *HRH William, Duke Of Cambridge*, 1986
Wax crayon. 40.64 x 30.48 cm

109. *Cece Robinson*, 2013
Huile sur toile. 45,72 x 35,56 cm

109. *Cece Robinson*, 2013
Oil on canvas. 45.72 x 35.56 cm

110. *Isabelle Robinson*, 2013
Huile sur toile. 45,72 x 35,56 cm

110. *Isabelle Robinson*, 2013
Oil on canvas. 45.72 x 35.56 cm

111. *Charlie Boyle*, 2008
Crayon de cire. 68,58 x 43,18 cm

111. *Charlie Boyle*, 2008
Wax crayon. 68.58 x 43.18 cm

112. *Macy et Abigail Aicardi*, 2008
Crayon de cire. 101,6 x 81,28 cm

112. *Macy & Abigail Aicardi*, 2008
Wax crayon. 101,6 x 81,28 cm

113. *Gregg Greene*, 2008
Crayon de cire. 50,8 x 55,88 cm

113. *Gregg Greene*, 2008
Wax crayon. 50.8 x 55.88 cm

114. *L'honorable Léo Kolber, Sénateur*, 1995
Huile sur toile, 91,44 x 60,96 cm

114. *The Honourable Leo Kolber, Senator*, 1995
Oil on canvas, 91.44 x 60.96 cm

115. *Dame Lois Brown Evans DBE, JP, Bermudes,* 2006
Huile sur toile. 91,44 x 76,2 cm

115. *Dame Lois Brown Evans, DBE, JP, Bermuda,* 2006
Oil on canvas. 91.44 x 76.2 cm

116. *L'honorable Stanley Lowe*, 2006
Président de la Chambre des communes, Bermudes
Huile sur toile. 101,6 x 76,2 cm

116. *The Honourable Stanley Lowe*, 2006
Speaker of the House of Assembly, Bermuda
Oil on canvas. 101.6 x 76.2 cm

117. *Olivier Gaudreault*, 2006
Huile sur toile. 101,6 x 50,8 cm

117. *Olivier Gaudreault*, 2006
Oil on canvas. 101.6 x 50.8 cm

118. *Jessica et Anna Petty*, 2005
Crayon de cire. 76,2 x 76,2 cm

118. *Jessica & Anna Petty*, 2005
Wax crayon. 76.2 x 76.2 cm

119. *Julien Papadopoulo*, 2005
Crayon de cire. 76,2 x 60,96 cm

119. *Julien Papadopoulo*, 2005
Wax crayon. 76.2 x 60.96 cm

120. *Henry Boyle*, 2005
Crayon de cire. 53,34 x 43,18 cm

121. *Malcolm Hollis*, 2004
Crayon de cire. 68,58 x 40,64 cm

120. *Henry Boyle*, 2005
Wax crayon. 53.34 x 43.18 cm

121. *Malcolm Hollis*, 2004
Wax crayon. 68.58 x 40.64 cm

122. *Grace Veghte*, 2003
Huile sur toile. 60,96 x 76,2 cm

122. *Grace Veghte*, 2003
Oil on canvas. 60.96 x 76.2 cm

123. *Élisabeth Weill*, 2002
Huile sur toile. 60,96 x 76,2 cm

123. *Élisabeth Weill*, 2002
Oil on canvas. 60.96 x 76.2 cm

124. *Beau, Reid et Oliver Orchard*, 2001
Huile sur toile. 60,96 x 121,92 cm

124. *Beau, Reid and Oliver Orchard*, 2001
Oil on canvas. 60.96 x 121.92 cm

125. *Les enfants Shinder*, 2001
Huile sur toile. 60,96 x 50,8 cm

125. *The Shinder Children*, 2001
Oil on canvas. 60.96 x 50.8 cm

126. *Alexander Curtis et Bear*, 1996
Crayon de cire. 45,72 x 45,72 cm

126. *Alexander & Bear*, 1996
Wax crayon. 45.72 x 45.72 cm

127. *Jimmy Thatcher*, 1989
Crayon de cire. 50,8 x 40,64 cm

127. *Jimmy Thatcher*, 1989
Wax crayon. 50.8 x 40.64 cm

128. *David Ferreira*, 1989
Crayon de cire. 50,8 x 40,64 cm

128. *David Ferreira*, 1989
Wax crayon. 50.8 x 40.64 cm

129. *Kate Riihiluoma*, 1989
Crayon de cire. 50,8 x 60,96 cm

129. *Kate Riihiluoma*, 1989
Wax crayon. 50.8 x 60.96 cm

130. *Jaime Billings*, 1989
Crayon de cire. 50,8 x 40,64 cm

130. *Jaime Billings*, 1989
Wax crayon. 50.8 x 40.64 cm

131. *Melanie Ashton*, 1987
Crayon de cire. 68,58 x 43,18 cm

131. *Melanie Ashton*, 1987
Wax crayon. 68.58 x 43.18 cm

132. *Jonathan McIlveen*, 1987
Crayon de cire. 45,72 x 60,96 cm

132. *Jonathan McIlveen*, 1987
Wax crayon. 45.72 x 60.96 cm

133. *Monsieur Marcel Hamelin*, 2001
Recteur de l'Université d'Ottawa
Huile sur toile. 139,7 x 121,92 cm

133. *Marcel Hamelin*, 2001
Rector of the University of Ottawa
Oil on canvas. 139.7 x 121.92 cm

134. *Monsieur John Lee Hooker*, 2000
Huile sur toile. 101,6 x 50,8 cm

134. *John Lee Hooker*, 2000
Oil on canvas. 101.6 x 50.8 cm

135. *L'honorable Robert Desmarais, juge*, 1993
Huile sur toile. 91,44 x 76,2 cm

135. *The Honourable Robert Desmarais, Judge*, 1993
Oil on canvas. 91.44 x 76.2 cm

136. *Chantal Desmarais*, 2016
Huile sur toile. 45,72 x 35,56 cm

136. *Chantal Desmarais*, 2016
Oil on canvas. 45.72 x 35.56 cm

137. *Don, Billy et Jesse Stein*, 1990
Crayon de cire. 60,96 x 50,8 cm

137. *Don, Billy & Jesse Stein*, 1990
Wax crayon. 60.96 x 50.8 cm

138. *Michel Duvernet*, 1986
Huile sur toile. 101,6 x 76,2 cm

138. *Michel Duvernet*, 1986
Oil on canvas. 101.6 x 76.2 cm

139. *Joël Froomkin*, 1988
Crayon de cire. 60,96 x 45,72 cm

139. *Joël Froomkin*, 1988
Wax crayon. 60.96 x 45.72 cm

Mers et eaux

Water and seascapes

L'artiste est tout simplement la voie navigable
par laquelle passe une vision émergente.

An artist is simply the vehicle
through which an emerging vision passes.

Les exemples retenus soulignent la richesse du thème. Variété, couleurs, tons, lumière et moment du jour, une palette de possibilités! Si le portrait invite à scruter l'intérieur d'une âme, les scènes d'eau déconcentrent le regard qui s'imbibe des reflets et des possibilités d'un lointain. Un appel au rêve.

The works in this category highlight the richness of a cherished theme of Poulin's. The variety of colours, tones, light, and times of day constitutes a whole palette of possibilities. Whereas portraits invite the viewer to plumb the depths of a soul, sea-scapes allow a more diffuse contemplation, taking in the reflection off the water and gazing into the distance. A dream beckons.

140. *Au repos*, 2011
Huile sur toile. 40,64 x 50,80 cm

140. *At Rest*, 2011
Oil on canvas. 40.64 x 50.80 cm

141. *Aquarelle*, 2007
Huile sur toile. 35,56 x 45,72 cm

141. *Watercolour*, 2007
Oil on canvas. 35.56 x 45.72 cm

142. *Le rangement du génois,* 2011
Huile sur toile. 60,96 x 76,20 cm

142. *Stowing the Genoa Sail,* 2011
Oil on canvas. 60.96 x 76.20 cm

143. *L'ouragan Fabian*, 2009
Huile sur toile. 20,32 x 25,40 cm

143. *Hurricane Fabian on Its Way*, 2009
Oil on canvas. 20,32 x 25,40 cm

144. *Une soirée vénitienne*, 1996
Huile sur toile. 60,96 x 76,2 cm

144. *A Venetian Evening*, 1996
Oil on canvas. 60.96 x 76.2 cm

145. *La baie de Northumberland gelée*, 2005
Huile sur toile. 76,20 x 101,60 cm

145. *Frozen Northumberland Strait*, 2005
Oil on canvas. 76.20 x 101.60 cm

146. *Les jumelles de la plage de l'Escalet*, 1998
Huile sur toile. 76,20 x 101,60 cm

146. *Twins at L'Escalet Beach*, 1998
Oil on canvas. 76.20 x 101.60 cm

147. *La rage de Poséidon*, 2015
Huile sur toile. 50,8 x 101,6 cm

147. *Poseidon's Wrath.* 2015
Oil on canvas. 50.8 x 101.6 cm

148. *Fin du voyage*, 2010
Huile sur toile. 60,96 x 91,44 cm

148. *Heading Home (Spirit)*, 2010
Oil on canvas. 60.96 x 91.44 cm

149. *Un ciel de nuit enrougi*, 1993
Huile sur toile. 76,2 x 101,6 cm

149. *Red Sky at Night*, 1993
Oil on canvas. 76.2 x 101.6 cm

150. *L'étang de nénuphars,* 1994
Huile sur toile. 60,96 x 60,96 cm

150. *Lily Pads, Hamilton City Hall Pond, Bermuda.* 1994
Oil on canvas. 60.96 x 60.96 cm

151. *Au mouillage*, 1991
Huile sur toile. 76,2 x 91,44 cm

151. *At the Mooring*, 1991
Oil on canvas. 76.2 x 91.44 cm

152. *Vague et hibiscus*, 1988
Huile sur toile. 60,96 x 76,2 cm

152. *Wave & Hibiscus*, 1988
Oil on canvas. 60.96 x 76.2 cm

Genres

Genres

*L'art c'est tout simplement une idée ordinaire
exprimée de façon extraordinaire.*

*Art is simply an ordinary
thought expressed extraordinarily.*

Dans cette imposante catégorie de l'œuvre de Poulin, on trouve des illustrations de scènes de la vie quotidienne. C'est dire la place que l'observation de l'anodin occupe dans son imaginaire. Sous la simplicité du thème ressort un élément qui vous attirera malgré son caractère commun ou domestique. On reconnaîtra la préférence chez l'artiste pour les sujets simples. Si on retrouve en scène une personne, elle est subordonnée à un objet : le chapeau de paille, la salopette délavée, les rayures d'une serviette-éponge, par exemple.

Depictions of everyday life abound in this impressive category of Poulin's work. They emphasize how important observing the ordinary is to his imagination. The plainness of the themes belies the common or the domestic. Once more, the artist's consistent preference is for simple subjects. When people are included in a scene, they are most often secondary to objects – a straw hat, faded overalls, or the striped design on a towel, for instance.

153. *Frissons*, 1982
Crayon de cire. 27,94 (diamètre)

153. *Shivers*, 1982
Wax crayon. 27.94 (diameter)

154. *La répétition*, 1984
Crayon de cire. 27,94 x 45,72 cm

154. *Practice*, 1984
Wax crayon. 27.94 x 45.72 cm

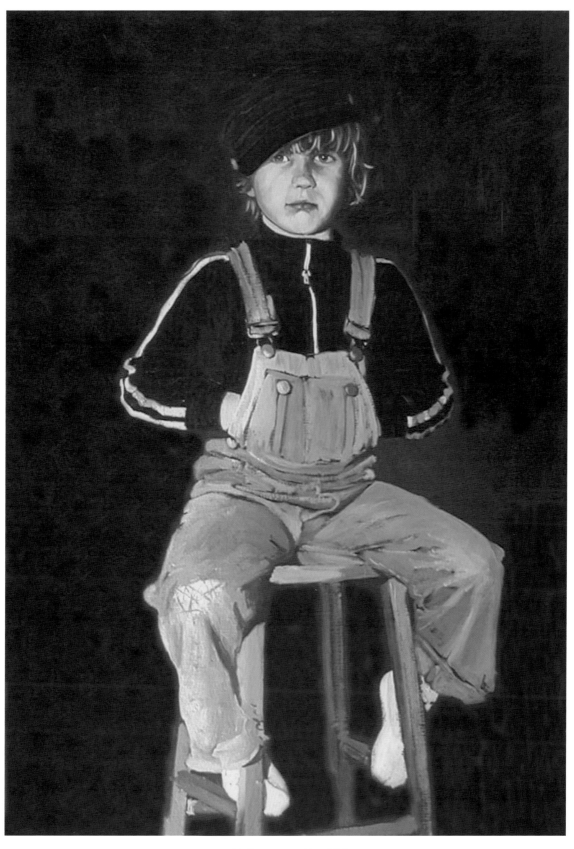

155. *Le garçon en bleu*, 1979
Huile sur toile. 76,2 x 50,8 cm

155. *Blue Boy*, 1979
Oil on canvas. 76.2 x 50.8 cm

156. *Rayures*, 1984
Crayon de cire. 30,48 x 40,64 cm

156. *Stripes*, 1984
Wax crayon. 30.48 x 40.64 cm

157. *La bergère a des oreilles*, 2013
Huile sur toile. 25,4 x 30,48 cm

157. *The Wing Chair Has Ears*, 2013
Oil on canvas. 25.4 x 30.48 cm

158. *Le saltimbanque*, 2013
Graphite. 86,36 x 15,24 cm

158. *The Acrobat*, 2013
Graphite. 86.36 x 15.24 cm

159. *Le canal à minuit, Ottawa*, 2013
Huile sur toile. 5,24 x 30,48 cm

159. *Midnight Skate, Ottawa*, 2013
Oil on canvas. 5.24 x 30.48 cm

160. *Le flûtiste*, 2011
Huile sur toile. 35,56 x 45,72 cm

160. *The Flutist*, 2011
Oil on canvas. 35.56 x 45.72 cm

161. *Après la baignade*, 2009
Huile sur toile. 25,4 x 20,32 cm

161. *After the Swim*, 2009
Oil on canvas. 25.4 x 20.32 cm

162. *Neuvième mois*, 1979
Huile sur toile. 20,32 x 25,4 cm

162. *Ninth Month*, 1979
Oil on canvas. 20.32 x 25.4 cm

163. *Hakuna Matata*, 1998
Huile sur toile. 45,72 x 60,96 cm

163. *Hakuna Matata*, 1998
Oil on canvas. 45.72 x 60.96 cm

164. *La lecture*, 1985
Crayon de cire. 30,48 x 40,64 cm

164. *Reading*, 1985
Wax crayon. 30.48 x 40.64 cm

165. *Le fils du jardinier*, 1984
Graphite. 60,96 x 40,64 cm

165. *The Gardener's Son*, 1984
Graphite. 60.96 x 40.64 cm

166. *Le chapeau de paille*, 2004
Huile sur toile. 60,96 x 45,72 cm

166. *The Straw Hat*, 2004
Oil on canvas. 60.96 x 45.72 cm

Nus

Nudes

Ce n'est pas la nudité ou le nu qui est dérangeant. De fait, ce qui est révélateur c'est que nous sommes dérangés par celui-ci. (1985)

It is not that the nude or nudity is disturbing, but that we are disturbed by one or the other which is revealing. (1985)

Le Nu comme défi à la technique : rendre le corps vivant dans toute sa splendeur sur canevas ? Essayez pour voir ! Le Nu comme défi à la mécanique : rendre de façon juste les parties du corps dans leurs possibilités de mouvance et dans leurs relations les unes aux autres ? Peut-on rendre sur toile le corps humain sans lever son crayon ? Poulin y est presque arrivé dans un dessin que je possède, la figure 172.

En général, ses nus sont pudiques en ce sens que le genre n'est pas utilisé pour autre chose que lui-même, un sujet de peinture ou de dessin artistique. On est loin de *La Grande Odalisque*, de Jean-Auguste-Dominique Ingres, ou de *La Naissance de Vénus*, de Sandro Botticelli, ou encore de *La Liberté guidant le peuple*, de Delacroix. Je les souligne dans le contexte des catégories de genres que Bernard a choisies pour ce chapitre. Souvent, le nu fut intégré à d'autres genres, dont les jardins, natures mortes, paysages, portraits, et surtout, les fresques sociopolitiques. Est-ce une voie que Poulin pourrait emprunter à l'avenir ?

Nudes present a technical challenge: making the body, in all of its splendour, come alive on canvas. They are also rife with mechanical challenges – rendering each part of the body, interconnected and with all their possible movements. Is it possible to depict the human body without ever lifting the pencil? Poulin comes close in a drawing that I own, a two-line nude (figure 172).

Poulin's nudes are usually modest insofar as the genre serves to represent nothing more than itself, the subject of a painting or drawing.

We are far from Jean-Auguste-Dominique Ingres's *La Grande Odalisque*, or Botticelli's *Birth of Venus*, or Delacroix's *Liberty Leading the People*. I mention these in the context of the genre categories Poulin has selected for this chapter.

His nudes are often integrated into gardens, still lifes, landscapes, portraits, or, most often, sociopolitical frescoes. Might this be an avenue for future exploration for Poulin?

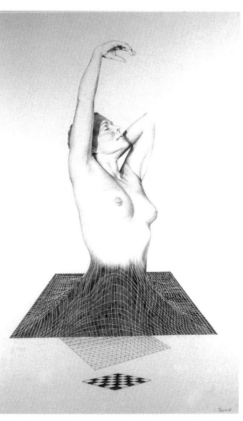

167. *Vénus ressuscitée*, 1984
Graphite. 71,12 x 45,72 cm

167. *Venus Reborn*, 1984
Graphite. 71.12 x 45.72 cm

168. *Échec et mat*, 1984
Graphite. 38,1 x 63,5 cm

168. *Checkmate*, 1984
Graphite. 38,1 x 63,5 cm

169. *La vague du casse-cou*, 2012
Huile sur toile. 15,24 x 30,48 cm

169. *Daredevil Wave*, 2012
Oil on canvas. 15.24 x 30.48 cm

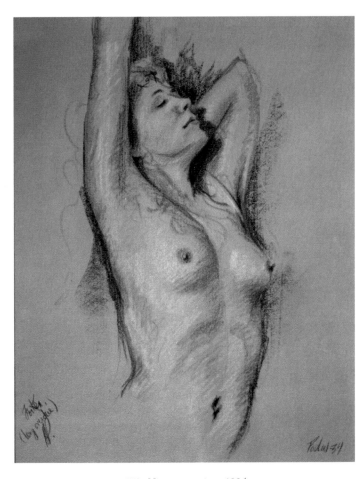

170. *Vénus* – esquisse, 1984
Crayon de cire. 35,56 x 45,72 cm

170. *Venus* (sketch), 1984
Wax crayon. 35.56 x 45.72 cm

171. *Fin d'été*, 2012
Huile sur toile. 15,24 x 30,48 cm

171. *End of Summer*, 2012
Oil on canvas 15.24 x 30.48 cm

172. *Nu de dos*, 1978
Plume et encre. 17,78 x 30,48 cm

172. *Beach Nude*, 1978
Pen and ink. 17.78 x 30.48 cm

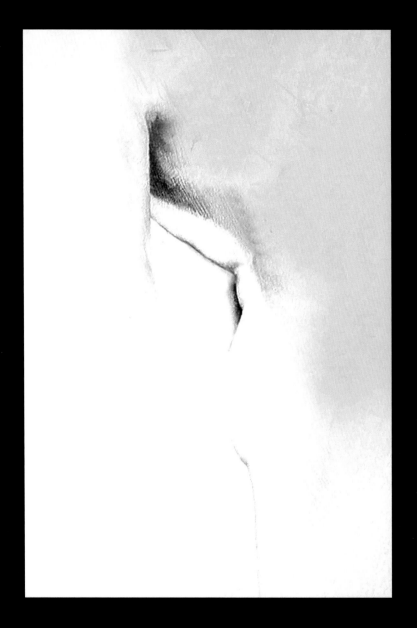

174. *Taillé dans la pierre,* 2010
Composition numérique. 38,1 x 25,4 cm

174. *Hewn in Stone,* 2010
Digital composition. 38.1 x 25.4 cm

Sculpture et murales

Murals and sculpture

Le succès, c'est lorsque notre travail
est plus facilement reconnu que nous. (2000)

Success is when our work
is more easily recognized than we are. (2000)

Neuf réalisations, à titre d'exemple, pour souligner l'importance caritative dans l'œuvre de Poulin. On aura remarqué que ce dévouement s'adresse à l'enfant.

Très jeune, Bernard s'était efforcé de maîtriser les volumes et la perspective (voir les figures 16 et 17). Ici, on peut contempler l'achèvement de ces techniques. D'où des sculptures en bronze réalisées plus tard dans l'atelier de son ami, sculpteur, Bruce Garner.

Nine pieces have been selected to exemplify the importance of charitable works for Poulin, and in particular his devotion to children.

Early on, Bernard mastered volume and perspective (see figures 16 and 17). This is also evident in the bronzes he went on to create in the studio of his friend, the sculptor Bruce Garner.

175. *Mur des donateurs,* 1992
Centre hospitalier pour enfants de l'est de l'Ontario
Huile et érable. 259,08 x 540 cm

175. *Donor Wall,* 1992
Children's Hospital of Eastern Ontario
Oil on board and maple. 259.08 x 540 cm

176. *Mur des donateurs*, section 1, 1992
Centre hospitalier pour enfants de l'est de l'Ontario
Huile sur planche

176. *Donor Wall*, Section 1, 1992
Children's Hospital of Eastern Ontario
Oil on board

177. *Mur des donateurs*, section 2, 1992
Centre hospitalier pour enfants de l'est de l'Ontario
Huile sur planche

177. *Donor Wall*, Section 2, 1992
Children's Hospital of Eastern Ontario
Oil on board

178. *Mur des donateurs,* section 3, 1992
Centre hospitalier pour enfants de l'est de l'Ontario
Huile sur planche

178. *Donor Wall,* Section 3, 1992
Children's Hospital of Eastern Ontario
Oil on board

179. *Mur des donateurs,* 1992
Fonds de recherche Solange Gauthier Karsh, Ottawa
Marbre noir et acrylique. 163,83 x 106,68 cm

179. *Donor Wall,* 1992
Solange Gauthier Karsh Research Fund, Ottawa
Black marble and acrylic. 163.83 x 106.68 cm

180. *Mur des donateurs,* 1992
Centre de recherche (foyer de l'entrée du CHEO)
Érable et acrylique. 163,83 x 106,68 cm

180. *Donor Wall,* 1992
Research institute (CHEO foyer)
Maple and acrylic. 163.83 x 106.68 cm

181. *Le coup de main* (sculpture et mur des donateurs), 1993
Société de l'aide à l'enfance d'Ottawa
Bronze, marbre vert et chêne

181. *A Helping Hand* (sculpture and donor wall), 1993
Children's Aid Society of Ottawa
Bronze, green marble and oak

182. *Le coup de main* (sculpture), 1993
Société de l'aide à l'enfance d'Ottawa
Bronze sur socle de marbre vert. 60,96 x 45,72 x 30,48 cm

182. *A Helping Hand* (sculpture), 1993
Children's Aid Society of Ottawa
Bronze on green marble plinth. 60.96 x 45.72 x 30.48 cm

183. *Le coup de main* (croquis), 1993
Société de l'aide à l'enfance d'Ottawa
40,64 x 30,48 cm

183. *A Helping Hand* (sketch), 1993
Children's Aid Society of Ottawa
40.64 x 30.48 cm

Jardins

Gardens

*Une fois une œuvre réalisée, il ne faut jamais croire
que nous demeurons pertinent à sa pérennité. (1978)*

*Once an artwork is completed, we should not presume
that we remain relevant to the continuing existence of that artwork. (1978)*

Une trop courte expression. On retrouve ce thème ailleurs en filigrane : figures 22, 75, 81, 83. Le jardin dans un paysage plus large.

A too-brief glimpse. Gardens also appear within a broader landscape (see figures 22, 75, 81, and 83).

184. *Quatre roses à Gassin*, 2013
Huile sur toile. 30,48 x 40,64 cm

184. *The Four Gassin Roses*, 2013
Oil on canvas. 30.48 x 40.64 cm

185. *Les pots du jardin*, 2011
Huile sur toile. 27,94 x 35,56 cm

185. *Garden Pots*, 2011
Oil on canvas. 27.94 x 35.56 cm

186. *Le jardin de Cézanne, Aix-en-Provence*, 1998
Huile sur toile. 45,72 x 60,96 cm

186. *Cézanne's Garden, Aix-en-Provence*, 1998
Oil on canvas. 45.72 x 60.96 cm

187. *La passerelle aux vignes*, 1996
Huile sur toile. 35,56 x 45,72 cm

187. *Gateway to the Vines*, 1996
Oil on canvas. 35.56 x 45.72 cm

188. *Le jardin de la maison verte*, 1988
Huile sur toile. 60,96 x 91,44 cm

188. *Slat House Garden*, 1988
Oil on canvas. 60.96 x 91.44 cm

Paysages urbains   Cityscapes

*Tomber amoureux de la France et de l'Italie n'est rien de plus compliqué
que d'être fasciné par les couleurs, les nuances et les teintes variées de l'ocre.* (2013)

*To fall in love with France and Italy is to simply become enthralled
with their every ochred hues, shades and tints.* (2013)

De loin la collection la plus impressionnante chez Poulin. Si vous êtes acquéreurs de tableaux, il y a de fortes chances que vous possédiez un paysage urbain. Pourquoi?

Peut-être qu'une évocation de notre rapport à la vie urbaine définit cet attrait : exotisme, sensualité, macadam et nature réunis, un village d'enfance perdu et retrouvé? Qui sait? Freud a longtemps cherché!

By far the most impressive thematic category among Poulin's oeuvre is his cityscapes. Any collector of Poulin's work is likely to have one. Why? Perhaps the attraction comes from a reflection of our relationship with urban life, its exoticism, its sensuality, the mix of nature and pavement, a childhood village lost and found? Who knows? Freud himself long sought answers!

189. *Une brume d'hiver, Ottawa*, 2018
Huile sur toile. 76,2 x 38,1 cm

189. *Winter Fog, Ottawa*, 2018
Oil on canvas. 76.2 x 38.1 cm

190. *Le chantier naval Darrel*, 2015
Huile sur toile. 45,72 x 60,96 cm

190. *Darrel's Boatyard*, 2015
Oil on canvas. 45.72 x 60.96 cm

191. *Hamilton, Bermudes*, 2011
Huile sur toile. 25,4 x 50,8 cm

191. *Hamilton, Bermuda*, 2011
Oil on canvas. 25.4 x 50.8 cm

192. *Un coucher de soleil sur la colline parlementaire*, 2010
Huile sur toile. 30,48 x 60,96 cm

192. *Parliament Hill Sunset*, 2010
Oil on canvas. 30.48 x 60.96 cm

193. *La bibliothèque parlementaire*, 2007
Huile sur toile. 25,4 x 20,32 cm

193. *The Parliamentary Library*, 2007
Oil on canvas. 25.4 x 20.32 cm

194. *Géraniums du village*, 2007
Huile sur toile. 60,96 x 76,2 cm

194. *Village Geraniums*, 2007
Oil on canvas. 60.96 x 76.2 cm

195. *Ruelle à Ottawa*, 2007
Huile sur toile. 35,56 x 45,72 cm

195. *Back Lane, Ottawa*, 2007
Oil on canvas. 35.56 x 45.72 cm

196. *Le pont bleu à Venise*, 2005
Huile sur toile. 20,32 x 121,92 cm

196. *Blue Bridge, Venice*, 2005
Oil on canvas. 20.32 x 121.92 cm

197. *Portique à Èze*, 1998
Huile sur toile. 58,42 x 33,02 cm

197. *An Eze Doorway*, 1998
Oil on canvas. 58.42 x 33.02 cm

198. *Au cœur du village*, 1998
Huile sur toile. 60,96 x 76,2 cm

198. *In the Heart of the Village*, 1998
Oil on canvas. 60.96 x 76.2 cm

200. *Un canal mystère à Venise*, 1996
Huile sur toile. 60,96 x 76,2 cm

200. *Quiet Side Canal*, 1996
Oil on canvas. 60.96 x 76.2 cm

201. *Escalier à la Villa Marasco*, 1996
Huile sur toile. 76,2 x 60,96 cm

201. *Villa Marasco Steps*, 1996
Oil on canvas. 76.2 x 60.96 cm

202. *La conversation*, 1996
Huile sur toile. 91,44 x 60,96 cm

202. *The Conversation*, 1996
Oil on canvas. 91.44 x 60.96 cm

203. *Une chambre avec vue*, 1996
Huile sur toile. 45,72 x 60,96 cm

203. *A Room with a View*, 1996
Oil on canvas. 45.72 x 60.96 cm

204. *Les amoureux de Florence*, 1996
Huile sur toile. 76,2 x 60,96 cm

204. *Florence Love Birds*, 1996
Oil on canvas. 76.2 x 60.96 cm

Paysages

Landscapes

Peindre c'est tout simplement une série de modifications appliquées à une perception en évolution constante. (2001)

Painting is a series of alterations applied to an ever evolving perception. (2001)

Si ce genre vise d'abord à mettre en évidence la nature, il est certain, par les tableaux que Poulin nous offre, qu'il s'y ajoute une touche discrète annonçant une narration, des symboles, même à la limite, une allégorie. *Au pied des cèdres* (figure 205) et *Une lune de la rive sud, Bermudes* (figure 206) ont cette capacité d'évoquer une histoire. *La vue du salon* (figure 209) est le préambule à une fiction de belle qualité. Tous pourraient servir de page couverture à des romans!

Although landscapes ostensibly feature nature, Poulin's paintings suggest a subtle narration, symbolism, and, to a degree, even allegory. *At the Foot of Cedars* (figure 205) and *South Shore Moon, Bermuda* (figure 206) have this ability to evoke a story. *View from the Living Room* (figure 209), meanwhile, offers a visual preface to a superb novel. Any of these works, in fact, could serve as book covers.

205. *Au pied des cèdres*, 2017
Huile sur toile. 43,18 x 63,5 cm

205. *At the Foot of Cedars*, 2017
Oil on canvas. 43.18 x 63.5 cm

206. *Une lune de la rive sud, Bermudes*, 2011
Huile sur toile. 35,56 x 45,72 cm

206. *South Shore Moon, Bermuda*, 2011
Oil on canvas. 35.56 x 45.72 cm

207. *Vue des hauteurs, Bermudes*, 2009
Huile sur toile. 20,32 x 25,4 cm

207. *Hill Cottage View, Bermuda*, 2009
Oil on canvas. 20.32 x 25.4 cm

208. *Coucher de soleil d'hiver*, 2009
Huile sur toile. 20,32 x 25,4 cm

208. *Winter Sunset*, 2009
Oil on canvas. 20.32 x 25.4 cm

209. *La vue du salon*, 1998
Huile sur toile. 60,96 x 76,2 cm

209. *View from the Living Room*, 1998
Oil on canvas. 60.96 x 76.2 cm

210. *L'entrée de cour*, 2018
Huile sur toile. 45,72 x 60,96 cm

210. *Garden Steps*, 2018
Oil on canvas. 45.72 x 60.96 cm

211. *Vue du golfe de Saint-Tropez,
des remparts de Gassin*, 2016
Huile sur toile. 45,72 x 60,96 cm

211. *View of the Gulf of Saint Tropez
from Gassin Village*, 2016
Oil on canvas. 45.72 x 60.96 cm

Natures mortes

Still lifes

*Le figuratif bien rendu est basé sur une sensualité logique,
tandis que l'abstrait est enraciné dans une logique sensuelle.*

*The figurative well rendered is based on logical sensuality
whereas the abstract is rooted in sensual logic.*

Selon les catégories de Félibien, ce serait le genre le moins noble! Que ferions-nous des pommes de Cézanne, de la botte d'asperges de Manet ou de la corbeille de pain de Dali! Ou ici, des premières tulipes (figure 212) de Poulin? Ou encore de ses bleuets (figure 30)?

According to Félibien's hierarchy, the still life is the least noble of all visual art categories. What then of Cézanne's apples, of Édouard Manet's bunch of asparagus, or of Dali's bread basket? Or, in this case, of Poulin's *My First Tulips* (figure 212), or his *Blueberries* (figure 30)?

212. *Mes premières tulipes,* 1994
Huile sur toile. 76,2 x 91,44 cm

212. *My First Tulips,* 1994
Oil on canvas. 76.2 x 91.44 cm

213. *Nascita di un pomodoro,* 1988
Crayon de cire. 30,48 x 121,92 cm

213. *Nascita di un pomodoro,* 1988
Wax crayon. 30.48 x 121.92 cm

214. *Mes vieux amis,* 1980
Huile sur toile. 35,56 x 45,72 cm

214. *Old Friends,* 1980
Oil on canvas. 35.56 x 45.72 cm

215. *Ces bottes patinées*, 1987
Huile sur toile. 60,96 x 91,44 cm

215. *Weathered*, 1987
Oil on canvas. 60.96 x 91.44 cm

216. *On est d'bout*, 2018
Huile sur toile. 45,72 x 60,96 cm

216. *We're Up*, 2018
Oil on canvas. 45.72 x 60.96 cm

217. *Le volet bleu*, 1998
Huile sur toile. 60,96 x 76,2 cm

217. *Blue Shutter*, 1998
Oil on canvas. 60.96 x 76.2 cm

218. *Rhythm in Blues*, 1981
Huile sur toile. 25,4 x 60,96 cm

218. *Rhythm in Blues*, 1981
Oil on canvas 25.4 x 60.96 cm

219. *Lampions*, 1996
Huile sur toile. 45,72 x 60,96 cm

219. *Votive Candles*, 1996
Oil on canvas. 45.72 x 60.96 cm

220. *Les chaussons à Veronica Tennant*, 1988
Huile sur toile. 55,88 x 30,48 cm

220. *Veronica Tennant's Slippers*, 1988
Oil on canvas. 55.88 x 30.48 cm

221. *Maison Desmarais, Sudbury*, 1981
Graphite. 17,78 x 22,86 cm

221. *Desmarais House, Sudbury*, 1981
Graphite. 17.78 x 22.86 cm

222. *Les hydrangées à Marie*, 1997
Huile sur toile. 50,8 x 40,64 cm

222. *Marie's Hydrangea*, 1997
Oil on canvas. 50.8 x 40.64 cm

223. *Canada-France*, 2018
Huile sur toile. 91,44 x 182,88 cm

223. *Canada–France*, 2018
Oil on canvas. 91.44 x 182.88 cm

Commentaires sociopolitiques

Socio-political commentary

*L'art empêche l'ordre structuré
de nos civilisations de devenir oppressive.*

*Art is what stops the structured order of civilization
from becoming oppressive.*

Il faut traiter l'Histoire, nous invite ce toujours si vivant Félibien. Bien sûr, la peinture classique le faisait en peignant de grandes fresques pour illustrer d'aussi larges pans de l'époque. Ici, nous sommes plutôt devant le « je-ne-sais-quoi » et le « presque-rien » de Vladimir Jankélévitch. Quelle est cette posture philosophique ? Une façon de se présenter devant le sens. Nous avions retenu quatre points de vue pour ausculter l'œuvre de Poulin : 1. le questionnement ou la curiosité; 2. la recherche ou la connaissance; 3. l'inquiétude ou l'émotion; 4. l'inachèvement ou la vie en action.

Ils sont réunis dans ce genre pictural. Qu'est-ce que le peintre « surprend » en train de se produire devant nos yeux (tant sur la toile exhibée que dans la vie qu'elle représente) ? La réalité est saisie en flagrant délit : amour, mort, liberté, action. Quelque chose a été falsifié; il y a une mésinterprétation à l'origine de la méprise. Quelqu'un laisse croire et colporte sciemment une aberration. Poulin applique une correction à la falsification de nos logiques, ou, à tout le moins un redressement aux faits en cours, à ceux qui auront une portée universelle, entre autres, la personnalité machiste, le narcissique, la fusillade de Parkland.

La peinture transcende l'immédiat et nous ramène à notre essence d'humains. Une discrétion s'insinue devant ce qu'on ne comprend qu'à demi, ce « je-ne-sais-quoi! ». L'écriteau (qui n'est pas sans rappeler les Tables de la Loi de la Bible) insiste pour rappeler que les hommes ont perdu en route un sens important. Contrairement au visuel pur, l'écriture force un ordre de lecture,

Always present, Félibien invites us to give history its due. Classical painting has of course done this, notably in the large frescoes that depict equally monumental events or eras. In the here and now, we're close to Vladimir Jankélévitch's *je-ne-sais-quoi* and *presque-rien* – the ineffable and the next-to-nothing. What is this philosophical stand? Might it be a way to stand up to meaning?

From the outset, we've used four points of view to approach Poulin's work: questioning and curiosity; research and knowledge; concern and emotion; and incompleteness, art, and life.

These four facets come together in the genre of socio-political commentary. What unfolding moment, taking place as much on the canvas as in the actual event the painting depicts, did the painter happen upon?

Reality is caught in flagrante delicto: love, life, death, freedom, action. Something has been counterfeited; disdain begins with misunderstanding. We are misled; someone is knowingly peddling an aberration. Poulin adjusts our faulty or falsified logic, or at least issues a corrective in regards to the skewed facts, especially those relating to a more universal reach – the personalities of the macho, the narcissist, the perpetrator of the Parkland high school massacre.

Painting tends to transcend the immediate, to bring us back to our central, human essence. There is something furtive in the face of what is not fully understood, of that *je ne sais quoi*.

A painted sign or tablet, not unlike the Biblical Tables of the Law, reminds us that at some point in time we lost our way. And, contrary to the strictly

même comme objet d'art. Ces écriteaux nous mènent entre ces deux approches : le linéaire de l'écriture et le global de la peinture. Mais ce sont des phrases déclaratives, la plupart. Et pourtant, elles installent une interrogation, un impératif et surtout une supposition. Si c'était ce « je-ne-sais-quoi », cette rébellion si familière à Poulin. Ce qui reste est un « presque-rien » qui impose une résistance.

visual, writing imposes an order of reading, even in a book as a work of art. Such signposts tend to lead us through two obligatory considerations: the linearity of writing and the more global perspective of painting. For the most part, these artworks are declarative... yet, they create an interrogation, an imperative, and, most of all, an assumption. Is this that *je ne sais quoi*, the familiar Poulin rebellion? What remains is the *presque rien*.

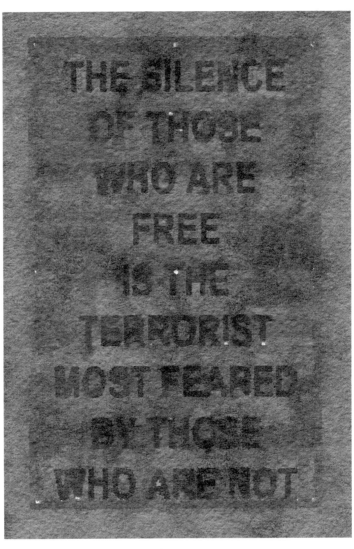

224. *Silence*, 2008
Composition numérique. 43,18 x 27,94 cm

224. *Silence*, 2008
Digital composition. 43.18 x 27.94 cm

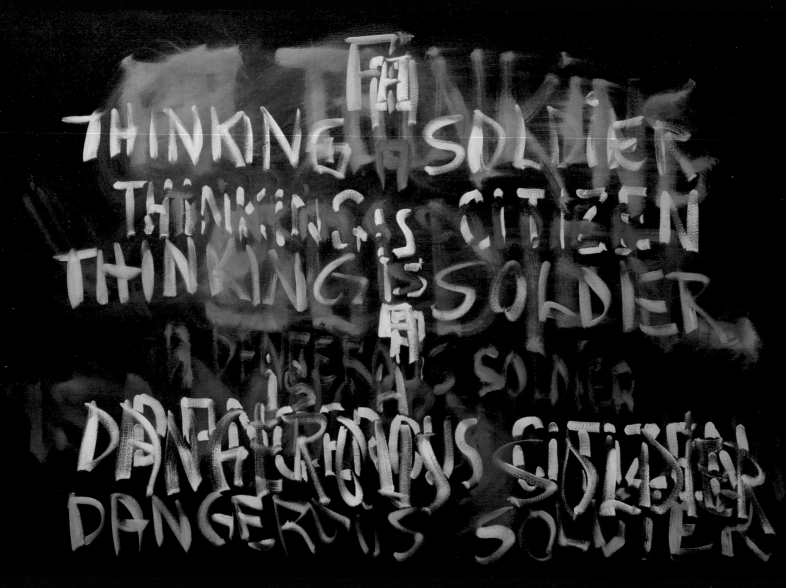

225. *Un soldat intelligent*, 2010
Huile sur toile. 101,6 x 152,4 cm

225. *An Intelligent Soldier*, 2010
Oil on canvas. 101.6 x 152.4 cm

Male narcissism is born of loss and desperation, born of a boy's worshipful cravings, strivings to not only become man but to become "the" man, the flawed hero loved, the one adored man who too often is afraid to look, to see, to recognize a boy's need for "his" recognition, "his" admiration, "his" affection. From the alpha formulation and connection of a first boy-atom there is never more demanding a need, never less desperate a requirement - to be loved by a man - one man - "the" first man in a boy life - the sole man to be looked up to and respected - the father-man.
But then there are rules, held-fast rules, not to be crossed rules, conduct rules, social rules, withholding of, denial of male sensitivity rules... And in those needs; boy-male sharings, cryings, yearnings, lovings and cravings to be held, a son is never more, never less than an embryonic father in lust to be seen, caressed and embraced as the only vital link to the continuation of that adored father into timeless time...
A son is the only being who needs to become his father, needing to know that the father acknowledges that dream - acknowledges "him" - and his need to be "the" loved boy, "the" held and cuddled and warmly looked upon boy.
But having been failed in their quest to become the one man of their dreams, boys often fail themselves by compensating, by finally accepting to not want anything more than the man "in" their dreams.
And because of this, father idols too soon lose to sports, music, best friend, rebel and gang idols - lose to those who have reached the omega of their boyhoods also having been failed and each in turn failing the others upon reaching the alpha of their own manhoods. And so, when self-love is born, it is often all there is. When the only and closest thing to being held, to being recognized, to being considered, to being appreciated and respected is an ejaculatory "that" - then violent narcissism is never far behind, chasing, chasing and eventually catching and squeezing and crushing another... Thus, passing on the alpha and omega of boy pain becomes a sociopathic need to perpetuate the mantra of "me", the cold, hard facts of never having been seen, recognized or touched. And so, why touch or be touched at all.

226. *La naissance d'un narcissique*, 2007
Huile sur toile. 76,2 x 91,44 cm

226. *Birth of a Narcissist*, 2007
Oil on canvas. 76.2 x 91.44 cm

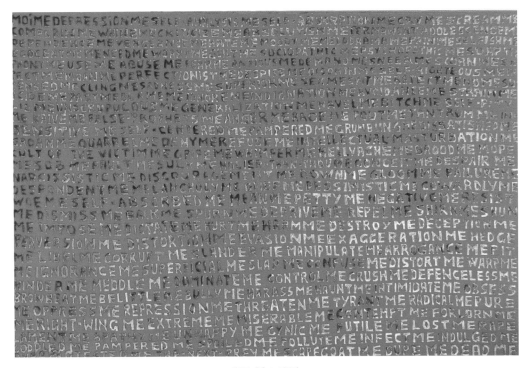

227. *Moi*, 1995
Huile sur toile. 60,96 x 91,44 cm

227. *Me*, 1995
Oil on canvas. 60.96 x 91.44 cm

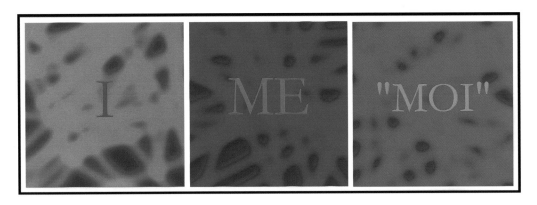

228. *I, Me, "Moi"*, 2017
Composition numérique. 25,4 x 71,12 cm

228. *I, Me, "Moi"*, 2017
Digital composition. 25.4 x 71.12 cm

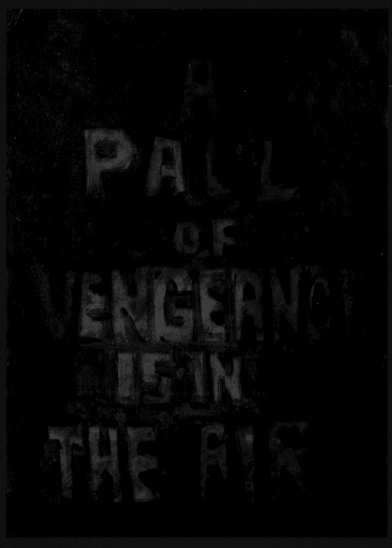

Lügen Presse

229. *Lügen Presse*, 2018
Composition numérique. 10,16 x 30,48 cm

229. *Lügen Presse*, 2018
Digital composition. 10.16 x 30.48 cm

230. *La tombée du rideau de vengeance*, 2003
Huile sur toile. 60,96 x 45,72 cm

230. *A Pall of Vengeance is in the Air*, 2003
Oil on canvas. 60.96 x 45.72 cm

A BOY DREAMS OF BEING A MAN WHO DREAMS OF BEING A BOY WHO DREAMS OF BEING A MAN WHO DREAMS OF BEING A BOY WHO DREAMS OF BEING A MAN WHO DREAMS OF BEING A BOY WHO DREAMS OF BEING A MAN WHO DREAMS OF BEING A BOY WHO DREAMS OF BEING A MAN WHO DREAMS OF BEING A BOY WHO DREAMS OF BEING A MAN WHO DREAMS OF BEING A BOY WHO DREAMS OF BEING A MAN WHO DREAMS OF BEING A BOY WHO DREAMS OF BEING A MAN WHO DREAMS OF BEING A BOY WHO DREAMS OF BEING A MAN WHO DREAMS OF BEING A BOY WHO DREAMS OF BEING A MAN WHO DREAMS OF BEING A BOY WHO DREAMS OF BEING A MAN WHO DREAMS OF BEING A BOY WHO DREAMS OF BEING A MAN WHO DREAMS OF BEING A BOY WHO DREAMS OF BEING A MAN WHO DREAMS OF . . . . .

231. *Un garçon rêve*, 1999
Huile sur toile. 60,96 x 45,72 cm

231. *A Boy Dreams*, 1999
Oil on canvas. 60.96 x 45.72 cm

232. *Word*, 2011
Composition numérique. 10,16 x 30,48 cm

2321. *Word*, 2011
Digital composition. 10.16 x 30.48 cm

233. *Victims R Us*, 2006
Huile sur toile. 91,44 x 30,48 cm

233. *Victims R Us*, 2006
Oil on canvas. 91.44 x 30.48 cm

234. *Nos prières et pensées sont avec vous*, 2018
Huile sur toile. 45,72 x 45,72 cm

234. *Thoughts and Prayers*, 2018
Oil on canvas. 45.72 x 45.72 cm

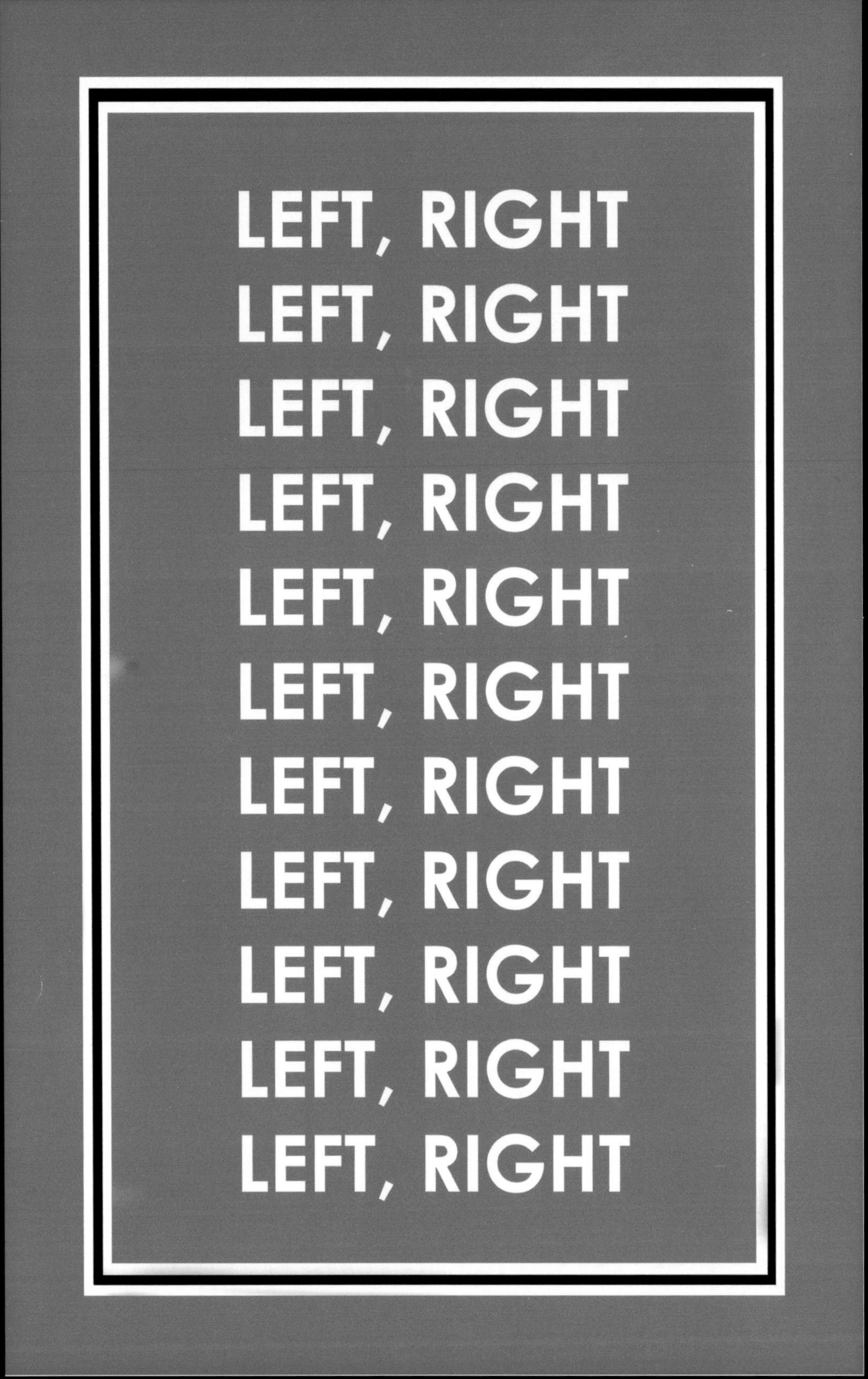

LEFT, RIGHT
LEFT, RIGHT
LEFT, RIGHT
LEFT, RIGHT
LEFT, RIGHT
LEFT, RIGHT
LEFT, RIGHT
LEFT, RIGHT
LEFT, RIGHT
LEFT, RIGHT
LEFT, RIGHT

235. *Au pas du régime,* 2018
Composition numérique. 215,9 x 139,7cm

236. *Métamorphose*, 2013
Composition numérique. 33,02 x 152,4 cm

236. *Metamorphosis*, 2013
Digital composition. 33.02 x 152.4 cm

237. *Vénus déploie ses ailes*, 2008
Composition numérique. 27,94 x 25,4 cm

237. *Venus Rising*, 2008
Digital composition. 27.94 x 25.4 cm

238. *Nous et eux*, 2007
Huile sur toile. 25,4 x 111,76 cm

238. *Us and Them*, 2007
Oil on canvas. 25.4 x 111.76 cm

239. *Asclepius s'écrase sous l'épée du caducée*, 1997
Huile sur toile. 101,6 x 101,6 cm

239. *Asclepius Falls at the Hand of Caduceus*, 1997
Oil on canvas. 101.6 x 101.6 cm

240. *Nice*, 2007
Huile sur toile. 60,96 x 72,60 cm

240. *Nice*, 2007
Oil on canvas. 60.96 x 72.60 cm

241. *Souvenons-nous des enfants*, 2000
Huile sur toile. 91,44 x 60,96 cm

241. *Remember the Children*, 2000
Oil on canvas. 91.44 x 60.96 cm

242. *Le Faucon canadien,* 2012
Composition numérique. 40,64 x 30,48 cm

242. *Canada Hawk,* 2012
Digital composition. 40.64 x 30.48 cm

En introduction à son livre: *On Life, Death and Nude Painting* (2015), Poulin évoque l'anecdote suivante au sujet d'Eleanor Milne, d'âge préscolaire, qui répondait à la question de sa mère: « Comment t'y prends-tu pour dessiner? » Elle répliqua: « *First, I think and then I draw my "think"* » (littéralement: « D'abord, je pense et ensuite je peins ma "pense" »). Eleanor Milne est devenue sculptrice canadienne de grande renommée (1925–2014).

On aimerait croire que cette pensée n'était pas seulement réflexive, mais imbibée d'émotions et de sensibilité, fondements de la pensée créatrice. Pourquoi la pensée réflexive est-elle importante aussi pour la création? C'est le tableau de bord ou la boussole. C'est la pointe de l'iceberg que l'on voit et qui nous empêche, si on est attentif, de nous éloigner de notre projet. Par contre, la partie submergée, c'est l'inconscient et le subconscient où se loge la créativité. Pour la mettre en évidence dans une œuvre, il faut lui insuffler des bulles d'oxygène pour que l'œuvre s'élève au-dessus de l'eau.

In the introduction to his book *On Life, Death and Nude Painting* (2015), Poulin recounts an anecdote about a little girl named Eleanor Milne whose mother asked her, "How do you draw so well"? The preschooler replied, "First, I think and then I draw my 'think'." That girl is the same Eleanor Milne (1925–2014) who was the renowned Dominion Sculptor of Canada from 1961 to 1993.

We'd like to believe that her response wasn't merely a reflex, but rich with feeling and sensitivity, the foundation of a creative mind. Why is reflective thinking important for creation? It is the dashboard, the compass. It is the tip of the iceberg that is visible and which, if we pay attention, helps keep us from drifting away from our project. On the other hand, the submerged part of that same iceberg holds the unconscious and the subconscious, where the essence of our creative abilities lies. To highlight what is below the surface in a work of art, that "think" must infuse our subconscious with the right amount of oxygen to lift it out of the water.

Conclusion

Conclusion

*«Pourquoi suis-je un artiste et non un philosophe?
C'est que je pense selon les mots et non selon les
idées.»*
Camus, *Carnets II (1942–1951)*

Les mots s'enlignent, les couleurs s'étalent, le marbre se cisèle. Ainsi naît une œuvre d'art.

Vous avez suivi ce pèlerinage dans les bois d'un peintre. Entre 1949 et 2018, 69 années de la vie d'un peintre sont passées sous mes yeux. Quelque 3 000 peintures! Je me suis défriché un sentier dans ce dédale compliqué.

J'espère que l'expérience vous aura plu. Vient le moment de clore : ce sera sur des questions ouvertes, car Bernard Aimé Poulin restera un mystère. Il avait écrit en 1967 : « *Un jour, dans un avenir que je veux le plus lointain possible, quand je serai devenu un artiste aux cheveux gris, j'aurai atteint la maturité suffisante pour me taire quand je n'aurai plus rien d'intéressant à dire.* »

Promesse à moitié remplie : Bernard Aimé Poulin se fait moins jeune et il a les cheveux gris! Pour ce qui est de se taire… Il n'est pas de ceux qui ont su «suivre les leçons de l'art», mais plutôt «en tirer une leçon». Il est de ceux qui prélèvent leur fruit d'une germination créatrice plutôt que de l'imitation servile. Cette pulsion créatrice émerge d'une profondeur qui nous restera inconnue.

À ces mots, j'évoque Freud parce que sa mé-compréhension de l'art l'inquiétait. Il concevait

*"Why am I an artist and not a philosopher? Because
I think according to words and not according to
ideas."*
Camus, *Carnets II (1942–1951)*

Words align, colours spread out, marble is carved. Thus are works of art born.

You've followed along on this pilgrimage through a painter's woods: sixty-nine years in the life of Bernard Aimé Poulin, from 1949 to 2018, have unfurled before us. Three thousand paintings. I've sought to clear a path through an intricate labyrinth.

I hope you've enjoyed the adventure, which must now come to an end, although questions naturally remain; Poulin is still a mystery. He wrote, in 1967, *"One day, hopefully far far away, when I am a painter old and grey, I will have the maturity to shut up when I no longer have anything to say"*.

A promise half kept: Bernard is not as young as he used to be, and his hair is grey. As for what he still has to say… Poulin has never been one to submit to the teachings of art. Instead, he heeds the lessons learned. He takes fruit from the tree of creativity, not from slavish imitation. The creative impulse continues to emerge from a depth that will remain unknown.

Freud's misunderstanding of art worried the psychoanalyst. He clearly understood the difference between insight into the unconscious and the implementation of this insight through art. Yet

clairement la différence entre la connaissance de l'inconscient et sa mise en œuvre par l'art. Quelque chose lui échappait. Néanmoins, il ne voulut pas «lâcher le morceau», comme il disait, tout en avouant n'avoir rien à proposer en tant que psychanalyste sur l'art. Où nous a menés Freud? Ne pas lâcher le morceau ressemble à Poulin. Où nous mènera-t-il?

Je suis attiré par les gens curieux, à la recherche de connaissances, inquiétés par l'émotion qui surgit en eux, s'interrogeant devant l'inachevé de la vie, son immensité. Freud, donc, concevait que l'art ne s'apprend pas; que l'on se l'enseigne à soi-même par le réel et l'observation qu'on développe à son égard. Ramenons Camus à l'avant-scène : «Pourquoi suis-je un artiste et non un philosophe? C'est que je pense selon les mots et non selon les idées.» Freud pense avec des idées. Sa tête voulait une réponse. Son énigme tenace : comprendre ce qui pousse un artiste vers ce mode de réalisation de soi. Or, l'artiste pense avec des couleurs, des formes, une inquiétude floue à observer le réel. Et n'oublions pas cette espèce de trépidation chez lui à entrer en action. Rappelez-vous l'œuvre *Les teintes dorées de Jérusale*m (figure 72). Poulin a vu au-delà du réel. Du moins le réel que, moi, j'aurais perçu.

Le peintre est un fabulateur, un magicien. Il donne à voir ce que nos propres yeux ne perçoivent pas. Sous l'évidence que le réel recèle, une signification seconde se cache. Lui, il la voit. Son œil est rattaché au bulbe rachidien, pour ainsi dire, où se greffe une sensation qui se transforme en une émotion. C'est à cette intersection que naît sa motivation. Selon Bachelard, «La source est une naissance irrésistible, une naissance continue.» Son

something escaped him. And because it did, he was unable to let go, as he put it, while admitting that he had nothing more to offer on the subject of art.

Where did Freud lead us? Not letting go seems a lot like Bernard Poulin. Where might he lead us?

I am drawn to people who are curious, who search for knowledge, who are concerned about the emotional swell that rises within them. They question the incompleteness of life, its immensity. Freud felt that art cannot be learned, that we teach ourselves, through what is real and how we look upon it. "Why am I an artist," Camus wondered, "and not a philosopher? Because I think according to words and not according to ideas." Freud thought with ideas. His head demanded answers. And this enigma forever held him in its sway: he wanted to understand what drives an artist toward this kind of self-actualization. An artist thinks in colours, shapes, and an undefined concern regarding what is real. Bernard has always felt a kind of restlessness about setting things in motion. Recall the painting entitled *Golden Sunrise, Jerusalem* (figure 72). Poulin sees beyond the real, at least the physical reality that I might have seen.

A painter is a visionary, a magician. He brings to light what our own eyes cannot behold. Despite a visual confirmation of what the real holds, a second, hidden meaning is always lurking, and the artist sees that. His eye is connected to his brain stem, so to speak, where a grafted sensation becomes a feeling. That connection is where the impulse to act is born.

According to the philosopher Gaston Bachelard, "a spring is an irresistible birth, a continuous birth." Desire itself is nothing but birth and renewal: the moment at which the limbs start moving; a breath

désir n'est rien d'autre qu'une naissance : ce moment où les membres se mettent à bouger ; qu'une bouffée d'oxygène envahit les poumons ; qu'un cri de présence à la vie s'exprime. J'imagine que la raison intervient peu dans ce processus, sinon dans des moments d'hésitation technique, et encore. Observer une peinture depuis nos questionnements logiques, c'est à coup sûr manquer l'essentiel.

On reste toujours devant le même mystère quant aux motivations de l'artiste. Freud, pensant avec des idées, formule à peu près l'énoncé suivant : l'art est une sublimation vis-à-vis de la pulsion vitale en nous. C'est un peu comme dire que l'eau est un liquide ! Oui, l'humain aime vivre ! Insatisfait de son constat, il prit donc le parti de voir l'art en tant qu'effet sur nous. La pulsion subliminale qui pousse l'artiste à produire la vie sur canevas correspond au désir chez le spectateur de participer à la même vie. Artiste et spectateur, nous sommes attirés vers l'avant, la joie, la jouissance, l'exploit aussi. Le spectateur devant Roger Federer, Andre Agassi ou Steffi Graf, Serena Williams comprend ces notions de jouissance. Il participe à ces pulsions vitales. Je fus un témoin ébahi devant l'exploit de Bernard Aimé Poulin !

L'humain cherche à retrouver une unité perdue à sa naissance. La force érotique (intimité, aspiration, spiritualité) mène un duel avec les pulsions de mort (passions, peur, destruction). L'amour et la haine sont imbriqués l'un dans l'autre en nous. Qu'est-ce que je fuis ? Qu'est-ce que je poursuis ? Je fuis de vieux attachements installés dans mes habitudes : insécurité, manque de reconnaissance, manque de contrôle des situations. On peut peindre ou écrire de cette posture. La littérature foisonne de belles réalisations névrosées ! Je fuis qui je suis !

of oxygen rushes into the lungs; a cry is heard, the expression of life.

Reason has little to do with the creative process, except in moments of technical hesitation, and even then... To take in a painting logically is to utterly miss the point.

As for what motivates an artist, the same notions of mystery apply. Freud, thinking as he did according to ideas, felt that art was a sublimation of instinctual drives, which is a bit like saying that water is liquid! Yes, humans like life! Disgruntled by his inability to answer his own question, the good doctor chose to see art only as its effect on the individual. The subliminal impulse that pushes an artist to create something living on canvas is the same as the viewer's desire to take part in that life.

As the artist or as the viewer, we are pulled forward, to joy, to enjoyment; and to achievement also. A spectator watching Roger Federer, Andre Agassi, Steffi Graf, or Serena Williams understands that notion of enjoyment. They are sharing those instinctual drives.

As for me, I have been a witness, in awe before the feat of Bernard Aimé Poulin.

Human existence is a constant search for the wholeness we relinquish at birth. The erotic drive – intimacy, aspiration, spirituality – is locked in a perpetual duel with the death impulses, of passion, fear, and destruction, just as love and hate are bound together within us. What is it that I am fleeing? What am I pursuing? I avoid old attachments that have ossified into habit: insecurity, lack of recognition, loss of control. It's possible to paint or to write from that place. Literature is rife with such wondrous neuroses. I flee who I am.

Parmi les choses que je poursuis, il y a la confiance en soi, la connexion aux autres, la clarté dans ma destinée. Que je fuie ou que je poursuive, une place mystérieuse au milieu où l'art se produit m'interpelle. Au centre, il y a une réalité qui penche vers l'inachevé. Quelle quête spirituelle est à l'amorce de ma motivation à poser de la peinture sur une toile ? L'art est une posture économique entre les deux forces : en même temps, la destruction m'inquiète et la vie m'inspire.

Michel-Ange : « J'ai vu un ange dans le marbre et j'ai seulement ciselé jusqu'à l'en libérer. »

There are things I strive for – self-confidence, connection with others, some clarity in seeking my destiny. Whether in avoidance or in pursuit, I'm challenged by a mysterious in-between place from whence creativity calls. And in that liminal space, reality leans forward, toward what is yet to be. What spiritual quest motivates an artist to cover a canvas in paint? The art of creativity is a viable posture ensconced between two opposing forces: the worry of becoming extinct and the motivation to live life to the fullest.

"I saw the angel in the marble and I carved until I set him free."
Michelangelo

Biographie
Bernard Aimé Poulin, artiste peintre, portraitiste et auteur

Bernard Poulin est artiste-peintre et portraitiste depuis 52 ans. Plusieurs personnages renommés ont subi les résultats dramatiques de ses coups de pinceau. Entre autres, nous retrouvons cinq portraits du très honorable Jean Chrétien, premier ministre du Canada, l'honorable Roméo Leblanc, gouverneur général du Canada et président du Sénat, feu Yousuf Karsh, photographe canadien, Paul Desmarais, président de la Power Corporation du Canada et chancelier de l'Université Memorial de Terre-Neuve, l'honorable Jennifer Smith, première ministre des Bermudes, l'honorable Stanley Lowe, président de la Chambre des communes des Bermudes , William Boyle, maire de Hamilton, capitale des Bermudes, Marcel Hamelin, recteur de l'Université d'Ottawa, ainsi que le jeune Prince William, fils du Prince de Galles et de feu Diana Spencer.

Pendant plus de 20 ans, il a été conférencier et chef d'atelier au Canada, aux États-Unis et aux Bermudes. Depuis 1995, des mécènes investisseurs se regroupent pour commander des expositions complètes — traitant de sujets tels : la Toscane et Venise (1996), Provence (1998), Jérusalem (2000) et, en 2005, Paris.

Poulin est sculpteur (le bronze). Muraliste, il a réalisé plusieurs projets tridimensionnels, tel celui à l'entrée principale du centre hospitalier des enfants de l'est de l'Ontario, celui du Fonds de recherche médicale Solange Karsh et celui

Biography
Bernard Aimé Poulin: Visual artist, Portraitist, Author

Bernard Poulin has been an artist, painter, and portraitist for fifty-two years. Many renowned individuals have been represented by Poulin's dramatic brush strokes, among them the Right Honourable Jean Chrétien, prime minister of Canada; the Honourable Roméo Leblanc, Governor General of Canada and Speaker of the Senate; the late Armenian-Canadian photographer Yousuf Karsh; the late Paul Desmarais, chair and CEO of Power Corporation of Canada and chancellor of Memorial University of Newfoundland; the Honourable Jennifer Smith, prime minister of Bermuda; the Honourable Stanley Lowe, chair of the Bermuda Chamber of Commerce; William Boyle, rector of the University of Ottawa; and a young Prince William, son of the Prince of Wales and of the late Princess Diana.

For over twenty years, Poulin gave lectures and ran workshops in Canada, the United States, and Bermuda. Since 1995, patrons have commissioned exhibitions of Poulin's work, on themes such as Tuscany and Venice (1996), Provence, (1998), Jerusalem (2000), and Paris (2004 and 2005), as well as a Grand Tour Exhibition in 2007.

Poulin also sculpts, working in bronze. As a muralist, he has created several three-dimensional works, including for the foyer of the Children's Hospital of Eastern Ontario, the Solange Karsh Medical Research Fund, and a work in bronze

(sculpture en bronze et marbre) dans le hall principal de la Société de l'Aide à l'enfance à Ottawa.

L'artiste a collaboré à la réalisation de plus de douze livres de techniques du dessin au Canada et aux États-Unis. On a déjà traduit de ses articles (en italien) et aussi six émissions télévisées auxquelles il a participé à la télévision française de l'Ontario (TFO) en portugais. Il est l'auteur de douze livres, dont cinq sur le dessin. Son dernier livre de ce genre: *The Complete Colored Pencil Book* (1992; 75 000 exemplaires vendus) a été traduit à Paris en 1995. Son titre : *Le crayon de couleur* (UlyssÉditions). La réédition de ce même livre en couverture souple est entamée en 2002. En 2010, *Beyond Discouragement – Creativity* est publié. En 2014, *Please Daddy, Hold My Hand*, un livre pour enfant, est publié et en 2015, *Life, Death and Nude Painting*. Les bourses d'études Bernard Aimé Poulin sont créés en 1990 par l'organisation Hadassah-WIZO du Canada. Ces bourses sont offertes à des étudiants(e)s en art visuel. En 2011, l'Assemblée parlementaire de la francophonie internationale décerne à Poulin le titre de Chevalier de l'Ordre de la Pléiade en reconnaissance de ses efforts internationaux en arts visuels et pour le fait français. En 2019, l'artiste est récipiendaire d'un doctorat honoris causa de l'Université Laurentienne à Sudbury, en Ontario.

Bernard Aimé Poulin est né à Windsor en Ontario (1945) et est présentement résident d'Ottawa. Il est l'époux de l'honorable Marie-Paule (Charette) Poulin. Ils ont deux filles adultes, Elaine et Valérie.

Pour de plus amples renseignements :
www.bernardpoulin.com
613-526-3634
poulin@poulinstudios.com

and marble for the main hall of the Children's Aid Society of Ottawa.

A noted lecturer, Bernard Poulin has also participated in the creation of a dozen books on drawing. Some of his articles have been translated into Italian, and six television features on Télévision française de l'Ontario (TFO) have been translated into Portuguese.

He is the author of twelve books. *The Complete Colored Pencil Book* was published in 1992, and has sold 75,000 copies; its French translation, *Le crayon de couleur*, was published in Paris in 1995, and the book was reissued in soft cover in 2002 and re-released as part of a classics series in 2011. *Beyond Discouragement – Creativity* was published in 2010; a children's book, *Please Daddy, Hold My Hand*, appeared in 2014; and *On Life, Death and Nude Painting* was published in 2015.

In 1990, Canadian Hadassah-WIZO established a visual-arts scholarship in Poulin's name. In 2011, the Assemblée parlementaire de la francophonie internationale (the international association of French parliaments) conferred upon Poulin the title of Knight of the Order of La Pléiade in recognition of his international efforts in the visual arts and for French. In 2019, the artist received an honorary doctorate from Laurentian University in Sudbury, Ontario.

Born in Windsor, Ontario, in 1954, Bernard Aimé Poulin currently lives in Ottawa. He is married to the Honourable Marie-Paule (Charette) Poulin,, with whom he has two grown daughters, Elaine and Valérie.

For more information please visit:
www.bernardpoulin.com
613-526-3634
poulin@poulinstudios.com

Remerciements : Mécènes et participants   Acknowledgements: Patrons and contributors

NOTRE MÉCÈNE – OUR PATRON
Me Donald Mitchell, (lawyer), Ste-Marthe, QC

Portrait: *Me Donald Mitchell - Si Andy Warhol l'avait connu,* 2019
Composition numérique, 13 x 10 cm

Portrait: *Donald Mitchell, lawyer - If only Warhol had known him!, 2019*
Digital print, 13 x 10 cm

PARTENAIRES – PARTNERS
Hon. Leo & Mrs. Leo Kolber & Family, Montreal, QC

INVESTISSEURS – INVESTORS
Margaret Ashcroft, Sudbury

Bélanger, Ronald Bélanger, Chelmsford, ON

André Bussière, Ottawa, ON

Michel Coulombe, Ottawa, ON

Hon. Robert & Jeanne Desmarais, Ottawa, ON

Estrellita Karsh, Boston, MA

Michel Mongeon Consultants, Ottawa, ON

Phyllis and John Rae, Montreal, QC

Gerry Schwartz, Toronto ON

AMI(E)S – FRIENDS
Don anonyme/ Anonymous donation, Ottawa, ON

Julian Armour, Ottawa, ON

Carol-Ann & Brad Banks Ottawa, ON

André Beaudoin, Gatineau, QC

Chantal Beauvais et Louis Perron, Ottawa, ON

Cindy Benoit & John St-Aubin, Ottawa. ON

Stephanie Blake, Whitby, ON

Thérèse Boutin & Michel Morin, Trois Rivières, QC

Thor Bishopric, Westmount, ON

Marc Brazeau, Ottawa, ON

Tom Butterfield, Bermuda/Bermudes

Conseil des écoles publiques de l'est de l'Ontario, Ottawa, ON

Michelle De Courville-Nicol, Ottawa, ON

Annie Cuerrier & Duncan Fulton, Toronto, ON

Marian & Robert Cumming, Ottawa, ON

Ian Currie, Gatineau, QC

Desjardins - Maxime Houtart, Gatineau, QC

Guy Desmarais, Sudbury, ON

Catherine de Vinck, Allendale, NJ

Lorena Dudley, Sudbury, ON

Denyse & John Duffy, Whitby, ON

Beverly & Ron Ensom, Ottawa, ON

Marie-Paule & Normand Forest, Sudbury, ON

Lili-Ann & Tom Foster, Ottawa, ON

Galerie d›art Jean-Claude Bergeron, Ottawa, ON

Carol Johnson & Charles Goodfellow, Ottawa, ON

Kim & Martin Graham, Blind River, ON

Natalie & Gabriel Grimard, Ottawa, ON

Kay & Tom Hilton, St-Albert, AB

Kalula Kalambay, Gatineau, QC

Marielle O›Neil Karch & Pierre Karch, Toronto, ON

André Lafond, Bromont, QC

Norma Lamont, Ottawa, ON

Jeannine & Richard Lauzière, Ottawa, ON

Louis Lauzière, Ottawa, ON

Monique Lauzière, Montréal, QC

Lorraine Longtin, Val Morin, QC

Myra McKeen, Ottawa, ON

Madeleine Meilleur & Marc Leboutillier, Ottawa, ON

Hon. Pana & Tony Merchant, Regina, Sask

Margaret & Jim Mitchell, Ottawa, ON

Hon. Lucie Moncion, Sénateur, Ottawa, ON

Louise O›Connor, Ottawa, ON

Hélène Pelletier, Québec, QC

Jean-Yves & Guy Yves Pelletier, Ottawa, ON

Marie-Eve Pépin, Sudbury, ON

Jean-Pierre Plouffe, Gatineau, QC

Carolyn & Pierre Racicot, Ottawa, ON

Pierre Riopel, Alban, ON

Roseann Runte, Ottawa, ON

Lynne Saunders, Courtenay, BC

Carolyn & Mac Sinclair, Sudbury, ON

Jeanne-d›Arc Sharp, Ottawa, ON

Sheridan Scott & David Zussman, Vancouver, BC

Sharon Sholzberg Gray, Ottawa, ON

Donna & Mitch Speigel, Sudbury, ON

Évangéline Levac-Thellend, Ottawa, ON

Bob Underwood – AFBS, Toronto, ON